CW00819606

Shakespeare nunca lo hizo

Charles Bukowski

Shakespeare nunca lo hizo

Traducción del texto en prosa de
Laura Sanjuán y Jordi de Miguel

Traducción de los poemas de
Txaro Santoro y Cecilia Ceriani

Título de la edición original:
Shakespeare Never Did This
City Lights Books
San Francisco, 1979

Diseño de la colección: Julio Vivas y Estudio A
Ilustración: Bukowski y Linda Lee en el puerto de Hamburgo, Alemania, foto © Michael Montfort

Primera edición en «Contraseñas»: junio 1999
Primera edición en «Compactos»: mayo 2012

Pedró de la Creu, 58
08034 Barcelona

ISBN: 978-84-339-7687-1
Depósito Legal: B. 9067-2012

Printed in Spain

Liberdúplex, S. L. U., ctra. BV 2249, km 7,4 - Polígono Torrentfondo
08791 Sant Llorenç d'Hortons

1

Primero hubo problemas con el editor francés, Rodin, que me dijo dos billetes y después me dijo uno, y entonces yo le dije: está bien, y compré un billete para Linda Lee, y después llegó el sábado, el día del vuelo, y llamé al aeropuerto y me dijeron que sí, que había una reserva pero que no tenía ningún billete pagado por adelantado. Así que cogí el coche y empecé a buscar agencias de viaje. Fui de una a otra y todas estaban cerradas. En Los Ángeles los sábados, por alguna razón, las agencias de viaje cierran. Después de un par de horas encontré una en Farmer's Market. Entonces tuve que esperar una hora. Paseé entre los turistas, me compré un bocadillo de pavo y un café y volví y conseguí mi billete.

2

No hubo mucho más de camino para allá: a Linda Lee y a mí nos acusaron de fumar porros. Después de unos veinte o treinta minutos largos convencimos al capitán, o quienquiera que fuese, de que no estábamos fumando porros. Nos bebimos todo el vino blanco del avión, después todo el vino tinto. Linda se fue a dormir y yo me bebí toda la cerveza del avión.

3

Nos llevaron a un hotel de París que estaba justo enfrente de la oficina del editor francés. Había dos editores franceses: Rodin y Jardin. Mandé traer cinco botellas de vino y Linda Lee y yo nos fuimos a la cama y empezamos a beber. Los dos editores franceses publicaban cuatro de mis libros. Después de una o dos botellas cogí el teléfono y les llamé. Uno de ellos contestó.

–Oye, tú, hijo de puta –le dije–, ¿eres Rodin o eres Jardin?

Quienquiera que fuese, le maldije a conciencia durante cinco o diez minutos. Después colgué y Linda Lee y yo bebimos un poco más. Entonces llamé otra vez:

–Oye, tú, hijo de puta, ¿eres Jardin o eres Rodin? ¡*Exijo* saber con quién estoy hablando! ¿Eres Jardin o eres Rodin? ¿Eres Rodin o eres Jardin? ¡Exijo saberlo!

Después de un rato nos fuimos a dormir.

4

... Para ser despertados por Rodin, que nos dijo que me harían una entrevista a las once de la mañana en el patio.

–Un periódico muy importante...

–Está bien –dije, sin saber que me harían 12 entrevistas en cuatro días.

Las entrevistas matinales siempre eran las más duras, resacoso, intentando tragarme la cerveza. No, no tengo ni idea de por qué soy escritor. No, mi obra no tiene un significado especial que yo sepa. ¿Céline? Oh, claro. ¿Por qué no? ¿Si me gustan las mujeres? Bueno, a la mayoría prefiero follármelas que vivir con ellas. ¿Qué creo que es importante? El buen vino, la buena fontanería y poder dormir hasta tarde por las mañanas. ¿Que si de verdad me molestáis? Claro que sí. ¿Esperáis que empiece mentir a los 58 años? Invitadme a una copa. No, no fumo porros. Esto es *sher bidi*[1] de Jabalpur, la India...

Uno de los últimos entrevistadores fue el jefe de los punkis de París. Llegó metido en un traje de cuero con cremalleras por todas partes. Dijo que estaba deprimido, que necesitaba un chute de caballo para seguir tirando. Le dije que no llevaba. Tenía una grabadora. Bebimos cerveza con cubitos de hielo. Yo le entrevisté a él mientras él se subía y bajaba las cremalleras. Yo estaba cansado de ser entrevistado. Le pregunté si su madre aún vivía, y varias cosas más. Una de las cosas más bonitas que dijo fue que le gustaba la polución...

5

El viernes por la noche tenía que salir en un conocido programa, televisado para todo el país. Era un programa de entrevistas de carácter literario que duraba noventa minutos.[2] Pedí que me proporcionaran dos botellas de un buen vino blanco en la tele. Entre cincuenta y sesenta millones de franceses vieron el programa.

1. Cigarrillo hindú consumido en los ambientes *hippies* de California. En palabras del propio Bukowski: «Un bidi es un pequeño cigarrillo marrón de la India. Tenía un buen sabor agrio» (Charles Bukowski, *Mujeres). (N. de los T.)*

2. Se trata del programa *Apostrophe,* muy popular en Francia, presentado y dirigido por Bernard Pivot. *(N. de los T.)*

Empecé a beber a primera hora de la tarde. Lo siguiente que recuerdo es que Rodin, Linda Lee y yo estábamos pasando por seguridad. Después me sentaron delante del maquillador. Me aplicó muchos polvos, que fueron inmediatamente vencidos por la grasa y las cicatrices de mi cara. El maquillador suspiró y me echó de allí. Después estuvimos sentados en grupo esperando a que empezara el espectáculo. Descorché una botella y me tomé un trago. No estaba mal. Había tres o cuatro escritores y el moderador. También estaba el loquero que le había dado electroshocks a Artaud. Se suponía que el moderador era famoso en toda Francia, pero a mí no me pareció gran cosa. Me senté a su lado y él golpeó el suelo con el pie impacientemente.

–¿Qué pasa? –le pregunté–. ¿Estás nervioso?

No contestó. Llené un vaso de vino y se lo puse delante de la cara.

–Venga, tómate un trago de esto... Te sentará bien...

Me apartó con cierto desdén.

Después estábamos en el aire. Me habían puesto un artilugio en la oreja a través del cual me traducían el francés al inglés. Y yo debía ser traducido al francés. Yo era el invitado de honor, así que el moderador empezó por mí. Mi primera afirmación fue:

–Conozco a muchos escritores americanos importantes a los que les gustaría estar en este programa. Para mí no significa gran cosa...

Tras esto, el moderador saltó rápidamente a otro escritor, un viejo liberal que había sido traicionado una y otra vez pero aún conservaba la fe. Yo no tengo ideas políticas, pero le dije al buen hombre que tenía un bonito careto. Hablaba y hablaba. Siempre lo hacen.

Después empezó a hablar una escritora. Yo estaba bastante borracho y no estoy muy seguro de qué escribía, pero creo que era sobre animales, la señora escribía historias de animales. Le dije que si me enseñaba las piernas un poco más podría decirle si era una buena escritora o no. No lo hizo. El loquero que le dio los electroshocks a Artaud seguía mirándome asombrado. Alguien más empezó a hablar. Un escritor francés con un mostacho que tenía forma de manillar de bicicleta. No decía nada pero no paraba de hablar. Las luces ganaban en brillo, un amarillo bastante viscoso. Empezaba a tener calor bajo los focos. Lo siguiente que recuerdo es que estoy en las calles de París y hay ese molesto y continuo rugido y luz por todas partes. Hay cien mil motoristas en las calles. Exijo ver a unas bailarinas de cancán, pero me llevan de vuelta al hotel con la promesa de más vino.

6

A la mañana siguiente me despertó el ruido del teléfono. Era el crítico de *Le Monde.*

–Estuviste genial, cabrón –me dijo–, los demás ni siquiera sabían masturbarse...

–¿Qué hice? –pregunté.

–¿No te acuerdas?

–No.

–Bueno, deja que te lo explique, no hay ni un periódico que escriba contra ti. Ya era hora de que en la televisión francesa se viera algo sincero.

Cuando el crítico colgó, me volví hacia Linda Lee.

–¿Qué pasó, nena? ¿Qué hice?

–Bueno, le manoseaste la pierna a aquella señora. Después empezaste a beber a morro. Dijiste unas cuantas cosas. Eran bastante buenas, sobre todo al principio. Después el tío que dirigía el programa no te dejó hablar. Te tapó la boca con la mano y dijo: «¡Cállese! ¡Cállese!»

–¿Hizo *eso*?

–Rodin estaba sentado junto a mí. No paraba de decirme: «¡Hazle callar! ¡Hazle callar!» Simplemente no te conoce. De todas formas, al final te arrancaste el auricular, tomaste el último trago de vino y te largaste del programa.

–Sólo un borracho palurdo.

–Después, cuando llegaste a seguridad, agarraste a uno de los guardias por el cuello de la camisa. Entonces sacaste la navaja y les amenazaste a todos. No estaban muy seguros de si bromeabas o no. Pero al final te cogieron y te echaron.

Fui al lavabo y eché una meada. Pobre Linda Lee. En Alemania y en Francia, tanto los periódicos como las revistas la llamaban siempre Linda *King*, una ex novia con la que no salía desde hacía tres años. Eso le dolía de verdad. A mí no me importaría que me llamaran con el nombre de otro, sobre todo si fuera el de un ex novio. Y cuando les decía a los periodistas: «Por cierto, ésta es Linda Lee, *no* Linda King...», ellos nunca la mencionaban. Yo siempre he dicho que cualquier mujer que es capaz de soportar vivir conmigo debe ser llamada por su verdadero nombre.

Cuando salí del lavabo el teléfono seguía sonando. Una de las llamadas era de Barbet Schroeder, amigo mío y director de un montón de películas extrañas y originales.

–Estuviste genial, Hank –me dijo–, en la televisión francesa nunca se había visto algo así.

–Gracias, Barbet, pero apenas me acuerdo de la velada.

–¿Quieres decir que hiciste todo aquello y no sabías lo que estabas haciendo?

–Sí, me pongo así cuando bebo...

Linda Lee y yo teníamos billetes Eurorail. Era el momento de largarse de París. Unas semanas antes nos habían invitado a visitar a su tío en Niza. La madre de Linda también estaba allí. ¿Por qué no?

7

Linda intentó llamar al tío Bernard desde el hotel. No contestaron.

–No lo entiendo. Les dije que les llamaría hoy para decirles a qué hora llegábamos.

–No vayamos.

–No, les dije que iríamos. Quiero nadar en su piscina, tomar el sol y descansar. Él tiene un chalet en la ladera de una montaña. Y quiero ver a mi madre. A ti te gusta mi madre.

–Sí, tiene unas piernas bonitas...

Así que pagamos la cuenta del hotel y Rodin hizo que uno de sus fotógrafos nos llevara a la estación de tren. Era un tío simpático, con un ojo...

El viaje duró diez horas. Llegamos a las once de la noche. No había nadie esperándonos. Linda llamó por teléfono. Por lo visto estaban en casa. Podía ver a Linda hablando y gesticulando. La cosa duró un rato. Después colgó y salió fuera.

–No quieren vernos. Mi madre está llorando y mi tío Bernard le está chillando por detrás: «¡No dejaré entrar a un hombre así en mi casa! ¡Nunca!» Vieron el programa de la tele. El moderador era uno de los héroes del tío Bernard. Mi tío se puso al teléfono y le pregunté dónde habían estado todo el día, y me dijo que habían salido fuera a propósito para no tener que contestar al teléfono. Nos ha hecho venir hasta aquí para nada, nos ha hecho venir hasta aquí a propósito, para poder vengarse de alguna jodida manera. ¡Le dijo a mi madre que te habían echado del programa! ¡No es verdad, tú te fuiste!

–Venga –dije–, vamos a buscar un hotel.

Encontramos uno frente a la estación. Conseguimos una habitación en el segundo piso, bajamos y encontramos un café donde servían un vino tinto bastante bueno.

–Le ha lavado el cerebro a mi madre –me dijo Linda–, estoy segura de que no pegará ojo en toda la noche.

–No me importa no ver a tu tío, Linda.

–Es en mi madre en quien estoy pensando.

–Bebe.

–Pensar que deliberadamente nos ha hecho hacer un viaje en tren tan largo para nada.

–Me recuerda a mi padre. Solía hacer pequeñas cosas así continuamente.

En ese momento llegó el camarero con un trozo de papel.

–Un autógrafo, señor.

Firmé e hice un pequeño dibujo.

Había otro bar al lado. Miré a la derecha y había cinco camareros franceses riéndose y agitando los brazos. Les sonreí, levanté mi copa hacia ellos. Los cinco camareros franceses me saludaron. Se quedaron un rato a distancia, hablando entre ellos. Después se fueron.

8

El teléfono del hotel sonó a las nueve y media de la mañana. Linda contestó. Era Serena, la madre de Linda. Quería venir a vernos en autobús. El tío Bernard se negaba a traerla. El tío Bernard era un ginecólogo retirado, un hombre muy rico. Linda le dijo a Serena que quizás a las dos de la tarde sería una buena hora. Nos volvimos a dormir. A la una de la tarde sonó el teléfono otra vez. Era Serena.

–Mamá –dijo Linda–, te he dicho que a las dos de la tarde.

–Pero si he estado dando vueltas durante una hora –dijo su madre.

Bajamos a reunirnos con ella.

–He conocido a unos chicos ingleses *encantadores* –nos dijo–, me han dado la dirección del mejor sitio para comer.

–Vale –dije–, vamos.

Estaba al lado de Victor Hugo y andamos y andamos hasta que encontramos Victor Hugo, pero ese sitio no parecía estar allí, así que fuimos en la dirección contraria. Tampoco lo encontramos.

–Bueno, quizás se referían a otro lugar –dijo Serena–, sigamos buscándolo un poco más. Me han dicho que la comida es deliciosa. ¿Os molesta andar?

–Sigamos buscando –dije.

Serena tenía el nombre del sitio en un papelito. Anduvimos y anduvimos, pero el sitio no aparecía. Finalmente vimos a un francés aparcado en doble fila, un tío joven y con buena pinta, y Serena le enseñó el papel con el nombre y le preguntó si lo conocía. Lo conocía. Cogió un lápiz y un trozo de papel de la guantera y nos dibujó un mapa de cómo llegar hasta allí exactamente. Le dimos las gracias y empezamos de nuevo. Seguimos el mapa seis o siete manzanas y cuando llegamos, el café tampoco estaba allí. A aquella hora todos los restaurantes estaban cerrados; los que sirven comida recién hecha, claro. Cierran después de la hora de comer.

Caminamos hasta el mar, encontramos un banco y

nos sentamos. La playa era pequeña, formada por piedras duras y oblicuas, muchas piedras pequeñitas, sin arena, y las olas eran débiles, estaban muy cansadas de ondularse y moverse. Había bastante gente disforme y personas mayores sentadas sobre las piedras. No era como en América, donde sólo los jóvenes con buen tipo infestan las playas. Entonces una mujer se acercó y nos pidió dinero porque estábamos sentados en los bancos.

–Increíble –dije.

Nos levantamos del banco y nos hundimos en las pequeñas piedras grises. Linda dijo:

–Quiero mojarme los pies en el Mediterráneo.

Qué romántica, esta chica. Se quitó los zapatos y se fue hacia el mar. Yo senté el culo sobre las piedras. Serena se sentó a mi lado. Era muy victoriana pero nos llevábamos bien. Sabía que a pesar de todas mis historias sucias, bajo mi piel de violador yo era sólo un mojigato.

–Oh –dijo Serena–, creo que podría quitarme las medias y chapotear un poco.

–Serena –le dije–, creo que eso sería muy indecoroso. No lo apruebo.

–Quizá tengas razón.

–Serena, no hay quizá que valga.

Linda Lee se mojó los tobillos en el contaminado Mediterráneo. Aquella chica disfrutaba con todo lo que a mí me aburría y todo lo que a mí me divertía a ella le aburría. Éramos la pareja perfecta: lo que nos hacía seguir juntos era la tolerable e intolerable distancia entre nosotros. Seguíamos viéndonos cada día –y cada noche– sin nada resuelto y sin oportunidad de resolverlo. Perfección.

Linda Lee salió del agua y cogió la cámara de Serena.

–Voy a haceros una foto a los dos –nos dijo.

–Hank –me dijo Serena–, creo que se me ven mucho las piernas. ¿Tú crees que se me ven mucho las piernas?

–Deja que se te vean un poco, sólo un poco, pero no demasiado.

–Está bien.

Entonces me levanté e hice una de madre e hija. Después la madre se levantó e hizo una de hija y hombre viejo. A la gente le gustaba hacer fotos. A mí no me disgustaba. Me parecía que las fotos simplemente captaban el proceso de la muerte, lo mantenían inmóvil un momento, y sí, eso podía ser divertido.

Ya habíamos hecho el Mediterráneo y las fotos. Nos sentamos y esperamos. Entonces una chica joven, un poco llenita, se levantó y se quitó la parte de arriba del bikini. Tenía un buen par de tetas. La miré de reojo. Linda Lee siempre me acusaba de mirar disimuladamente. Decía que yo nunca miraba directamente a una mujer. Generalmente era verdad, primero porque creía que la gente merecía tener intimidad, yo quería intimidad, y también porque sabía que era un hombre feo. Así que había que saltar ese muro. Pero a veces tenía suerte. Sin embargo, dependía de la mujer. Como la última vez, la última noche en París, paseando, ella venía hacia mí cruzando la calle, y era su cuerpo y su vestido y su pelo y su forma de andar, y la sensación que transmitía: ¿soledad?, ¿no?, ¿qué? No lo sé, pero esa sensación nos atraía a medida que nos acercábamos, nos atraía mutuamente –y los ojos, más que los ojos, ¿qué?–, nos arrastraba por dentro y por fuera cuando nos cruzamos, fue más maravilloso que el sexo, más maravilloso que hablar, más mágico que llegar a conocernos alguna vez. Bueno, no estuvo tan mal después de todo.

De todas formas, la chica que estaba un poquitín llenita ya estaba lista para meterse en el agua. Y tenía un buen par. Yo soy un hombre de piernas, no de pechos, pero ella estaba estupenda. Quizás me gustaba porque no tenía vergüenza; estaba espléndida pero no hacía una apestosa montaña de mierda sobre el tema.

Se metió en el agua y flotó maravillosamente.

–Te estoy viendo –me dijo Linda Lee.

–Sí –dije.

La chica estuvo cinco minutos en el agua, después salió. Pasó por delante de nosotros con sus poderosos pechos. Después se sentó un rato. Tras dos o tres minutos se puso la parte de arriba del bikini y contempló el agua. Era hermoso. En Estados Unidos una chica sola en la playa habría sido acosada por muchos hombres. Y el topless, para la mentalidad del macho norteamericano, habría significado que la chica quería ser violada. El macho norteamericano es automáticamente vanidoso y terriblemente poco original.

Nos fuimos de la playa y seguimos andando entre los hoteles y el agua. No era precisamente bonito. Entramos en un hotel con patio. Pedimos café, agua mineral, zumo de naranja y tostadas. Nos saldría por unos diez o quince dólares americanos. El turista y el dólar americanos estaban desapareciendo. ¿Qué hacía yo allí? Bueno, estaba visitando al tío Bernard en Niza. Unos cuantos miembros de la élite francesa estaban sentados en el patio. Habían estado allí sentados durante horas; y seguirían sentados más horas. Sostenían cuidadosamente sus cafés y fumaban cigarrillos. Y miraban fijamente, mientras sus bocas chupaban una cosa tras otra con absoluto menosprecio. Estaban satisfechos de ser lo que eran y si veían un agujero de ceniza en tu camisa estabas acabado. Más tarde en la habitación del hotel ella le diría a él:

–¿Viste a aquel americano? ¿El de la nariz roja? Tenía un agujero de ceniza en su camisa...

–Sí –diría él–, le vi...

Pagamos y nos fuimos.

–Ahora –dijo Serena–, tengo que coger el autobús de vuelta. No estoy segura de dónde se coge, pero creo que puedo encontrarlo.

Caminamos.

–Estaba al lado de un parque, creo que no muy lejos de aquí.

–¿Por qué no llamas al tío Bernard y le dices que venga a buscarte? –preguntó Linda.

–Oh, no, no vendrá.

–Mira –le dije–, yo voy a esconderme en cualquier sitio.

–No, no vendrá.

Caminamos. Continuamos caminando.

–¡Oh, ahí está el parque!

Seguimos a Serena. Entonces subió y caminó por una estrechísima banda de cemento al lado de la calzada. No era una acera. Era sólo una estrechísima banda de cemento situada medio metro por encima de la calzada. La seguí. Linda Lee sencillamente se quedó allí quieta y no nos siguió. Entonces nos paramos.

–Aquí es donde me dejó el autobús –dijo Serena.

Nos quedamos allí. Los autobuses pasaron a mucha velocidad, pero ninguno se paró.

–No creo que esto sea una parada de autobús, Serena.

–Pero estoy segura de que me bajé aquí.

–¡Linda –grité, volviéndome–, ven aquí, estamos esperando el autobús!

–¡Joder! –me gritó desde atrás–. ¡No puedo subir ahí! ¡Me matarán! ¡Eso no es una acera!

–¡Oh, venga, ahora!

Así que también vino y los tres juntos permanecimos allí diez minutos más mientras los autobuses pasaban de largo.

–Aquí no hay ninguna señal de parada, Serena –le dije–, te habrás equivocado.

–Está bien, probemos más adelante.

Volvimos a la calle y otra vez empezamos a andar. Había autobuses aparcados por todas partes, pero ninguno de ellos tenía el letrero correcto y ninguno de nosotros hablaba francés. Aun así, Serena lo hablaba mejor que nosotros y sugerí que intentara preguntar a alguno de los conductores. Encontramos a un tío con una cara gorda y simpática y lo intentamos con él. Nos indicó el camino y empezamos a andar. Pero o las indicaciones eran incorrectas o nosotros no lo habíamos entendido bien. El autobús no estaba allí. Caminamos un poco más. Yo ya había abandonado. Tenía la sensación de que a Serena le gustaba sufrir. Por qué, no lo sabía. A mí no me gustaba sufrir. Yo no quería sufrir más. Estaba harto de sufrir. Como siempre, sentía que una gota más de sufrimiento sería la gota que desbordaría el vaso, y yo no quería que el vaso se desbordara. Entonces Serena vio el autobús. Estaba allí parado, como un monumento divino.

Nos abrazamos, Serena se despidió de nosotros. A pesar de todo, era una buena mujer.

–¡Adiós, Linda!

–¡Adiós, mami!

–¡Adiós, Hank!

–¡Adiós, Serena!

La vimos subir al autobús. Arrancó con Serena agitando la mano por la ventana...

9

El teléfono sonó a las nueve y media de la mañana. Teníamos una resaca bestial.

–¡Mierda! –grité–. ¿Quién *coño* es? ¿Quién *se atreve*? ¡Diles que coman mierda y se mueran!

El teléfono estaba en el lado de la cama donde dormía Linda.

–¿Diga? –preguntó.

Me miró:

–Es Serena.

Sangre, pensé, sangre sangre sangre, sangre. Familia, Dios, Patria, Dinero. Culpa y Deber. Cristo. Pecado. Sangre, sangre y resaca sangrienta, en la cruz, sudando, el culo apestoso, calambres en el estómago, el oscuro cerebro lanudo en el cuello; dulce sueño la única posibilidad, dulce sueño la única cura...

–Mira, madre, es muy temprano. Ven por la tarde. Ven a las dos. Ven a las tres...

Linda escuchó. Después se volvió hacia mí:

–Está en el vestíbulo..., esperando...

–Por favor, pídele media hora...

–Mamá, danos media hora, estaremos ahí abajo en media hora...

Serena estaba segura de que sabía dónde estaba el café que le habían recomendado aquellos amables chicos ingleses. Ahora lo tenía claro. Ningún problema, saliendo de Victor Hugo, dos manzanas al este, una al norte. Ella pagaría la comida: el desayuno o el almuerzo. ¿Qué preferíamos? Cuando tengo una resaca bestial nunca tengo ganas de comer, desde luego, pero tengo ganas de masturbarme. Siempre me despertaba con el aparato intentando metérseme en una de las orejas. Ahora era imposible: en ese momento mis grandes pelotas se retorcían una contra otra mientras andábamos.

Empezamos a caminar. Después la cosa se convirtió en una discusión sobre en qué dirección estaba el este y en qué dirección el norte, etcétera. Madre e hija no se ponían de acuerdo. Señalaban con el dedo hacia el mar y proclamaban esto y lo otro. No me metí. Yo no sabía nada. Yo no quería ir al café. No me importaba una mierda el café. Quería que lo encontraran para que estuvieran contentas. Estaba bien que fuera importante para ellas. Eso no se lo podía negar. Anduvimos, probamos norte y sur, este y oeste, anduvimos. Ya no tenía ganas de masturbarme. Serena estaba decidida. Sabía que el café estaba allí. Al final encontramos a una mujer jorobada con un trapo viejo en la cabeza y anillos de oro en todos los dedos. Era muy simpática. Sí, sabía dónde estaba el café. Era un café muy *bueno*. La seguimos. Sólo estaba a dos manzanas. Ahora estaba sólo a una manzana. Después, ahí estaba el cartel colgando, era el nombre del sitio. Era allí. Nos acercábamos. Estaba cerrado. Le dimos las gracias a la simpática mujer jorobada y otra vez empezamos a andar...

Aquella tarde nos sentamos en el vestíbulo del hotel a esperar que el tío Bernard viniera a buscar a Serena. Había aceptado esperarla fuera. Venía con su mujer, una ex modelo. Tenía que llegar a las seis de la tarde. A las seis y cuarto, Serena dijo:

–Quizás se ha perdido. Éste es un sitio difícil de encontrar, justo enfrente de la estación de tren. Bernard no conoce esta parte de la ciudad.

Esperamos sentados un rato más. Un largo coche de color marfil pasó silbando.

–Ése era su coche –dijo Serena–, no hay otro coche así en la ciudad. Ése era Bernard. Pobre Bernard, no ha visto el hotel.

–Lo encontrará, madre –dijo Linda.

Siete u ocho minutos más. Entonces el coche de color marfil llegó de nuevo, aparcó.

–¡Es él! –dijo Serena–. ¡Es él!
–Es el tío Bernard –dijo Linda Lee.
Se levantaron de un salto. Linda se volvió hacia mí:
–Ven y salúdales.
–No.
–Sólo di «hola», venga...
–No.
Salieron fuera a reunirse con el tío Bernard. Una cosa es tener dinero y otra cosa es tener sangre...

Me senté en una silla del vestíbulo, esperando. Esperé un cuarto de hora, después cogí el ascensor. Llegué a la habitación, me quité los zapatos y me tumbé en la cama a oscuras. Sangre y dinero, y Caperucita Roja y Tarzán de los Monos y la Huerfanita Annie y Pedro y el Lobo y los Puentes de Londres Derrumbándose y Robin Hood y los Tres Cerditos que fueron al Mercado y la Vieja Dama que Vivía en un Zapato y tenía Tantos Niños sin saberlo, y Blancanieves, y mi madre y mi padre y el instituto y Stanley Greenburg, el matón de la escuela, y mi primer trabajo y el terror a los muros y el asesinato de las horas y los hombres que trabajaban en fábricas junto a mí con mármoles rayados por ojos, su único deseo era conservar un trabajo que ya los ha matado, y después todas las putas que pasaron por mi cama y por mis pobres automóviles, corazones como hachas, yo, de vuelta otra vez en la iglesia católica, mamando la pompa, escupiéndola, resistiendo, el Gato Loco, los Niños de Katzenjammer, y ellos ahí abajo chupándole el culo a un rico estúpido, más por dinero que por falta de sangre; el comunismo no podía resolverlo, la literatura había fracasado, como de costumbre, y el asesinato estaba pasado de moda...

Me dormí.
Me desperté cuando Linda Lee abrió la puerta.
–Este tío Bernard es un auténtico hijo de perra –dijo.

10

Al día siguiente fuimos a la estación a buscar un tren que fuera a Mannheim, Alemania, donde iba a ver a mi amigo y traductor alemán Carl Weissner. Teníamos billetes Eurorail. Queríamos hacer una reserva pero no sabíamos cuándo salía el tren que iba a Mannheim, así que fuimos a información. Había una cola muy larga. En información nos dijeron que ellos no podían indicarnos cuándo salía el tren para Mannheim, que tendríamos que preguntar en reservas. Otra larga cola. En reservas nos dijeron que información es el sitio donde facilitan los horarios de salida de los trenes. Entonces vimos la oficina de información de Eurorail. Allí sólo había dos o tres personas. Preguntamos cuándo salía el tren para Mannheim, Alemania, y cómo podíamos hacer una reserva. Nos dijeron que ellos no podían ayudarnos, que tendríamos que ir a la oficina de información de la estación. Toda aquella gente nos hablaba de la manera más degradante y asquerosa que se pueda imaginar, como si fuéramos infecciosos o locos o como si apestáramos, en cuerpo y alma. Estábamos sudados y resacosos, quizás apestábamos. Yo tenía ganas de tumbarme en la calle y abandonarlo todo.

–Mira –le dije a Linda Lee–, vamos a volver a la habitación del hotel y vamos a beber día y noche, a beber hasta que no nos quede un centavo, y entonces nos quedaremos allí hasta que nos echen. Todo esto me pone enfermo.

–No –dijo ella–, vamos a seguir intentándolo.

Entonces fuimos a una tienda que no estaba directamente relacionada con la estación y allí había una señora muy amable que nos dijo que los horarios de los trenes estaban colgados al lado de los andenes, donde se sube al tren. ¿Por qué ni en Eurorail, ni en información ni en reservas nos lo habían dicho? Salimos de la tienda y miramos el horario. Había un tren que iba a Mannheim aquella misma tarde. Volvimos al hotel e hicimos las maletas.

11

Encontramos un compartimento en primera clase y nos metimos dentro. Teníamos por delante un bonito viaje de 14 horas, cortesía del tío Bernard. Después de subir al tren descubrimos que no tenía coche bar, ni vagón restaurante, y que ni siquiera pasaría un hombre con el carrito de las bebidas. Íbamos a estar sin comida, agua ni bebidas alcohólicas durante 14 horas; no habría nuevos enganches al tren. Sin embargo, había lavabos. Niza había sido poco gratificante...

Llegamos a Mannheim y llamamos a Carl desde la estación.

–Voy enseguida –nos dijo.

Así fue. Fuimos al Park Hotel y nos dieron la habitación 218, con vistas al parque de la torre de agua y las fuentes. Tenía que dar un recital de poesía en Hamburgo. Aún me disgustaban los recitales de poesía; me emborrachaba y me peleaba con la audiencia. Yo nunca escribí poesía para recitarla, pero eso ayudaba a pagar el alquiler. A todos los poetas que he conocido, y he conocido a muchos, les gusta recitar en público. Yo me daba cuenta de que siempre era el solitario, el inadaptado, pero mis hermanos poetas parecían ser muy extrovertidos, muy sociables. A mí no me gustaban, les esquivaba. Carl nos invitó a cenar en su casa esa noche. Le dije:

–Vale, pero vamos a comprar algo de vino.

Mannheim. El Park Hotel.

«Así que bajamos a la calle y compramos mucho vino.»

«También nos compramos impermeables. No paraba de llover.»

Carl Weissner.

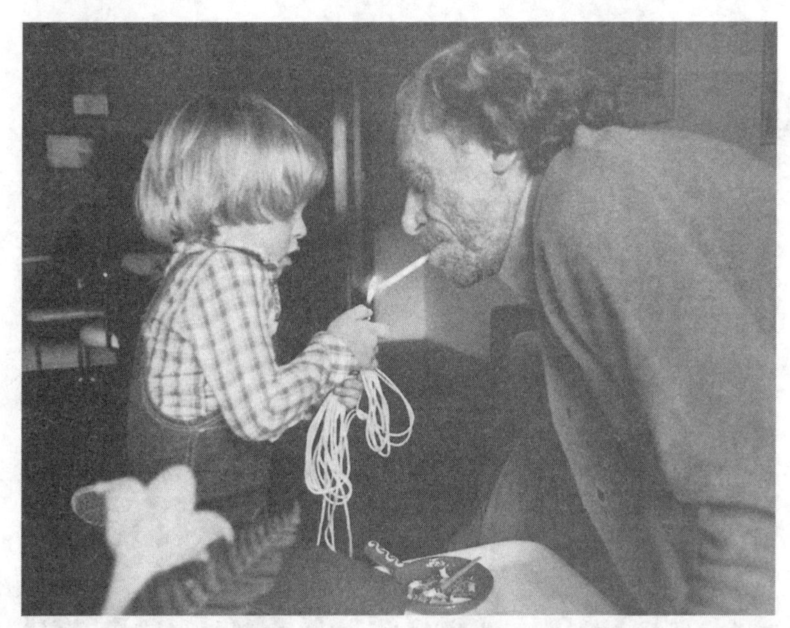

«Mikey tenía la manía del fuego. Nos encendió todos los cigarrillos. Quería prenderle fuego a todo.»

«Era un tío pequeño y muy descarado, aquel gato alemán.»

Schweteingen. «El castillo y sus alrededores eran enormes y caminamos y caminamos y caminamos.»

Así que bajamos a la calle y compramos mucho vino. También nos compramos impermeables. No paraba de llover. El Rin se estaba desbordando. «La inundación del siglo», lo llamaban.

Siempre provoco condiciones meteorológicas terribles dondequiera que voy. Una vez di una lectura en Illinois y al día siguiente el estado sufrió el peor tornado de su historia, y un mes más tarde el poeta que había organizado la lectura murió. Otra vez leí en el Museo de Arte Moderno de Houston, y cuando me fui tuvieron una súbita inundación que destrozó el museo y destruyó obras de arte por valor de un millón y medio de dólares. Otra vez leí en el Instituto para las Artes de California, y poco después, en la casa que el profesor tenía en las montañas, mientras estaba bebiendo whisky escocés y admirando las piernas de su mujer, los buitres describieron círculos por encima del tejado y uno de ellos se posó en el jardín. Por esta razón siempre cobro precios elevados por mis lecturas: nunca sé si saldré vivo de ellas.

Conocimos a Waltraut, la mujer de Carl, y a Mikey, su hijo. Y también a su gato. Mikey tenía la manía del fuego. Nos encendió todos los cigarrillos. Quería prenderle fuego a todo. Estaba obsesionado con el fuego, el fuego era el camino, el fuego era el dios. Bebimos y bebimos. Les dije que Barbet Shroeder iba a venir a Mannheim para enseñarnos su película *Koko. Koko* aún no se había estrenado en los cines. Yo quería que Carl y Barbet se conocieran; eran dos hombres originales y extraños.

Bebimos y esperamos la cena. Entonces llegó, y el gato intentó comerse la mía. Era un tío pequeño y muy descarado, aquel gato alemán. Y Waltraut era guapa y comprensiva. Y Mikey era hiperactivo, una bomba de energía. El futuro de Alemania estaba asegurado con él, si es que no la incendiaba.

Después de cenar Mikey se fue a la cama y seguimos bebiendo. Carl bebía pero no era alcohólico; lo hacía por mí y los dos lo hacíamos bien. No hay nada como beber para sentirse como en casa en cualquier parte; la botella no necesita saber idiomas. Al cabo de unas horas Linda y yo nos metimos en un taxi, conseguimos volver. No me acuerdo de esto ni del resto de la noche. Pero nos llevamos un par de botellas con nosotros y bebimos un poco más, y Linda me dijo que fui al cuarto de baño y empecé a cantar y a gritar, como si estuviera en una cámara de resonancia:

–¡PÁJARO NEGRO! ¡PÁJARO NEGRO! ¡ADIÓS, PÁJARO NEGRO!

–¡MORID, PÁJAROS NEGROS! ¡QUE MUERA TODO, QUE MUERA, QUE MUERA!

–¡SANDÍAS Y PERROS, MORID! ¡RANAS Y CASAS! ¡PUTAS Y PECES!

–¡PÁJARO NEGRO, PÁJARO NEGRO, PÁJARO NEGRO, ADIÓS!

Seguí insistiendo con el pájaro negro durante 25 o 30 minutos. Después Linda entró en el cuarto de baño y me mordió. Cuando hizo eso, salí del cuarto de baño, me acosté y me dormí.

12

Barbet vino al Park Hotel, conoció a Carl, salimos a por vino y después volvimos a montar el proyector para ver *Koko.* Nadie sabía cómo funcionaba el proyector, y yo menos. Así que me nombré servidor oficial de vino. Las paredes eran blancas y eso ayudó, y al final lo conseguimos.

Koko era un gorila hembra que conocía 300 palabras

del lenguaje americano de los signos. En otras palabras, que podía decir con los dedos qué quería, cómo se sentía, etcétera. Obviamente era un importante avance en la relación entre el hombre y la bestia, una manera de comunicar pensamientos y sentimientos mediante señas más fuerte que lo que nos separaba...

Barbet decía que su parte favorita era cuando Koko decía:

–No lo sé.

Es muy difícil describir el impacto que te causaba esta película cuando veías cómo caía la barrera de la comunicación. Creo que para mí el punto culminante era cuando Koko pedía un jersey que ponerse para salir a pasear.

–¿Éste? –le preguntaban.

–No –decía ella.

–¿Este otro?

–No.

–¿Entonces cuál?

–El rojo –decía Koko.

Era como hablar con Marte, era como hablar con un árbol. Era impresionante, espantoso, magnífico. Si Dios existiese, era casi un truco contra Dios, o quizás tenía Su bendición. De todas formas, era un asunto excitante y bebí demasiado. Pero éste es el problema con un borracho: si se excita bebe demasiado, si se aburre bebe demasiado, si tiene buena suerte bebe demasiado, si tiene mala suerte bebe demasiado, etcétera. De todas formas, si esta película no triunfa es que la humanidad está peor de lo que yo pensaba...

Barbet tenía que volver a París, así que nos pasamos el resto de la noche bebiendo y yo estaba más borracho que nadie y no paraba de decirles a Carl y Barbet una y otra vez qué magníficas personas eran, qué afectuosos y auténticos eran, mis únicos amigos hombres, eran princesas y reyes y grandiosos culos, eran los mejores, mis amigos mis amigos, Linda también tiene que quereros, Linda también os quiere, mis compañeros mágicos y locos, me habéis dado confianza y esperanza a mí que tenía muy poca, la suerte de conoceros es un sol que siempre brilla...

Lo que era y es verdad.

13

La lectura de Hamburgo se aproximaba, pero a Linda le gustaban los castillos y el primer castillo era el castillo de Schwetzingen. Yo estaba muy enfermo, sólo de intoxicación etílica, pero tenía escalofríos, y cogí una manta del coche y me cubrí con ella.

El castillo y sus alrededores eran enormes y caminamos, caminamos y caminamos. Después llegamos a un lago interminable. Solían dar fiestas en la orilla del lago, sin tener que preocuparse por la policía. Cuando llegas a la cumbre ya no queda nada por hacer excepto acumular más dinero, más poder; no queda nada por hacer excepto beber, comer, follar, tomar drogas y matar. Allí se montaban sus orgías, lanzaban fuegos artificiales, iluminaban los cielos y catapultaban a animales por el aire: jabalíes, cerdos, ciervos, cualquier cosa, y los hombres intentaban cazarlos con sus armas mientras describían un arco a través del cielo. Quién sabe, también podrían haber puesto a unos cuantos seres humanos allá arriba. Pero había implícito un compromiso secundario: cualquier cosa que sobreviviera a aquel circo celeste nunca más tendría que hacer una cosa así otra vez.

Un grupo de alemanes estaba con nosotros y al grupo de alemanes les gustaba el castillo y los alrededores del castillo. En un momento dado, cuando pasaba por la orilla del lago, sentí un fuerte impulso de saltar dentro.

Todo aquello que le interesa a la mayoría de la gente a mí me deja completamente indiferente. Esto incluye una lista de cosas tales como: bailes de sociedad, subir a las montañas rusas, ir al zoológico, picnics, películas, planetariums, ver la tele, partidos de béisbol; ir a funerales, bodas, fiestas, partidos de baloncesto, carreras de coches, recitales de poesía, museos, rallies, manifestaciones, protestas, teatro infantil, teatro para adultos... No me interesan las playas, la natación, el esquí, las Navidades, el Año Nuevo, el 4 de Julio, la música rock, la historia del mundo, la exploración espacial, los perros caseros, el fútbol, las catedrales ni las grandes obras de arte.

¿Cómo puede una persona que no está interesada en casi nada escribir sobre algo? Bueno, yo lo hago. Escribo y escribo sobre todo el resto: un perro perdido caminando calle abajo, una mujer que asesina a su marido, los pensamientos y sentimientos de un violador mientras le pega un bocado a una hamburguesa; la vida en la fábrica, la vida en las calles y las habitaciones de los pobres y los mutilados y los locos, mierda como ésta, escribo mucha mierda como ésta...

Anduvimos y anduvimos.

Después encontramos la mezquita. Olía como un pavo a medio cocer.

«QUÍTENSE LOS ZAPATOS», decía el cartel. Nos los quitamos y los pusimos en los estantes. La vieja que había allí, la guardiana de la colmena, llevaba los zapatos puestos y tenía unos tobillos planos y delgados, una cara sosa y un culo blando. Se había echado a perder de tanto holgazanear por el templo. Al grupo de alemanes les gustó la mezquita. Miraban fijamente hacia arriba, a las obras de arte del techo, iban a marearse.

Muy enfermo, me quedé dentro de la mezquita, malditos sean el islam y Mahoma, permanecí envuelto en mi manta, condenado, esperé. Me fijé en unos paños que colgaban por encima del púlpito, los paños parecían sagrados. Yo necesitaba una cerveza como base para empezar a beber de nuevo. Entonces vi una moderna aspiradora que descansaba sobre la alfombra. Y fuera, detrás de la mezquita, había una excavadora de color naranja. De todas formas, poco después nos fuimos de la mezquita y del castillo entero...

14

Al día siguiente tocaba otro castillo en Heidelberg. Yo también tenía una película que un tío joven de San Francisco había hecho a partir de una de mis historias cortas. Pensaba que había seguido el argumento bastante bien, sin introducir su propio ego. Pocos directores, jóvenes o viejos, son capaces de hacerlo. Yo quería pasar la película después de la lectura de Hamburgo, pero quería que Carl la viera antes. No sabía de lo que eran capaces los alemanes. Habíamos devuelto el proyector alquilado pero Carl conocía a unos estudiantes de Heidelberg que tenían uno. Subimos la película por una escalera y allí estaban, chicos agradables, tenían unos ojos bonitos, había tres o cuatro con ojos bonitos y había algo de vino tinto.

Pusieron el proyector en marcha y vimos la película. Después se acabó.

–¿Qué te parece, Carl?

–Al diablo, la pasaremos.

–Vale –dije–, pues vamos a por el vino tinto.

–Es muy temprano para beber tanto vino –me dijo Linda Lee.

Le lancé mi mirada de Bogart, expulsé una bocanada de humo y me serví un trago largo...

Los chicos de los ojos bonitos vinieron al castillo de Heidelberg con nosotros. Por el camino me llevaron a una librería que tenía casi todos mis libros. Pero en realidad fue más embarazoso que alentador estar ahí y contemplar mis libros. Yo no había escrito para conseguir aquello. Desde luego, era agradable haber salido de la fábrica, pero eso era algo que celebraba a solas, sobre todo en la cama, cuando me despertaba con resaca por las mañanas.

Entonces, cuando nos íbamos, la vieja de detrás del mostrador salió fuera y me dijo:

–¡Tú eres el hombre a quien siempre podría amar!

–Oh, gracias –dije.

Era obra de Michael, el fotógrafo, que le había sugerido el numerito. Michael me los plantó delante a todos: vendedores de impermeables, dependientes de lavandería, la gente de los cafés, taxistas y rockeros. Se hartó de disparar la cámara. Michael y Christoph, el poeta alemán, se habían reunido con nosotros en la librería. Mi recorrido estaba planeado de antemano, me llevaban de aquí para allá, podía ser localizado en cualquier punto. Me sentía más como un turista que como un escritor norteamericano de origen alemán que está de visita...

Así que recorrimos el castillo de Heidelberg, vimos el castillo de Heidelberg. Tuvimos algo de suerte: allí había un bar y dentro del bar había uno de los toneles de vino más grandes del mundo. Nos sentamos a una mesa y nos tomamos una ronda de vino, los chicos de los ojos, Carl, Michael, Linda Lee y el poeta alemán, Christoph, que se llamaba a sí mismo «el hijo de Bukowski» y «el sol de Bukowski». Siempre que le veía llevaba una camiseta de Bukowski, en la que yo le había firmado un autógrafo sin que se la quitara. Era una buena persona; me pareció loco y malicioso de la más inofensiva de las maneras.

Bebimos un poco más y después caminamos por encima del barril. Christoph daba saltos encima del barril. Le encantaba. Aquel hijo puta de barril tenía un fallo: estaba vacío...

Después subimos a por una foto panorámica con el Rin de fondo y Michael no paraba de decirme:

–Asómate más.

No se daba cuenta de que todo el alcohol y todas las resacas que llevaba encima aflojan el equilibrio de un hombre. Yo me tambaleaba, pretendía mirar el río y todos los pueblos. Estábamos a 600 metros de altura, sin paracaídas, y la cámara disparaba, disparaba, clic, clic, y yo me alegré cuando bajé de allí.

Los chicos de los ojos bonitos se fueron a sus casas a hacer bombas, o a casa de sus novias o a casa de otros, o a hacer películas o a hablar de la vida o a freír salchichas. Me pregunté cuánto tiempo durarían sus ojos.

Fuimos en coche hasta una taberna de pueblo donde los viejos se sentaban en bonitas mesas planas, bebían cerveza y pensaban en sus vidas. Eran muy apacibles pero muy reales. A excepción de Linda Lee, allí no había ninguna mujer, sólo tíos viejos. Entonces me acordé de los bares americanos y de qué pocas mujeres hay en los bares americanos. Los viejos alemanes me gustaron. Cada uno estaba sentado a una mesa separada y no hablaban entre sí. Tenían la cara muy colorada, pero yo podía sentir que estaban pensando en los días y los años de sus vidas; en la historia, en el ayer y hoy. Esperaban morir pero no tenían mucha prisa: había muchas cosas en las que pensar.

15

De esta forma, llegó Hamburgo: la lectura me tenía acojonado, me tenía cogido por las pelotas. Esto era sobrevivir entre mierda de toro. Yo había vagabundeado por los Estados Unidos durante diez o quince años en las peores condiciones posibles: estoy hablando de hambre, cárceles, malas mujeres o ausencia de mujeres, malos trabajos o falta de trabajo. Me senté en los bares más asquerosos que se puedan imaginar de todo el país, hice de recadero, me metí en peleas, algunas de ellas las perdí (la mayoría de ellas las perdí), algunas de ellas las gané. *Tendría* que haber perdido casi todas las peleas porque estaba desnutrido y borracho y tampoco tenía ningún interés en pelear, pero a veces no había otra cosa que hacer. Yo era el artista barato, el payaso, y tenía que hacer pequeños trucos para conseguir bebida gratis.

Las peleas me resultaban curiosas por una razón: me asombraba que los hombres pudieran enfadarse tanto por tan poco. Yo peleaba sobre todo por inercia, sólo por diversión, y el cabrón de mi oponente se metía realmente en la pelea, completamente absorto, se concentraba hermosa y locamente en matarme.

Entonces me di cuenta de que no era como mis semejantes y que debería hacer algo al respecto.

Intenté suicidarme dos o tres veces pero fracasé por un motivo u otro; no era un buen suicida profesional precisamente.

Era exactamente como mi padre me había dicho una y otra vez en mi juventud:

–¡No tienes energía, no tienes ambición, no tienes iniciativa! Henry, ¿cómo vas a hacer nada de provecho en la vida?

Siempre lo decía justo antes de cenar. Eso no me ayudaba precisamente en la digestión...

En el tren a Hamburgo, con mis poemas en la cartera, esperamos al carrito de las bebidas. Nos habían dicho que allí había uno, pero no había ninguno. Tuve que ir y volver al vagón restaurante a por vino y cerveza. Jóvenes soldados alemanes, vestidos de civil, pasaban corriendo arriba y abajo, borrachos, gritando; estar juntos les daba coraje y ser jóvenes les daba coraje y ser soldados les hacía sentirse hombres. Me recordaban a una pandilla de marines americanos. No hay manera de librarse de los militares fanfarrones...

Y el grupo de alemanes estaba allí, en dos o tres coches, y continuamos en coche a partir de la estación, bajo la lluvia, y bajo la lluvia, apoyadas en los parachoques de los coches, estaban las putas de Hamburgo, esperando.

Hola, chicas, aquí hay otro...

Llegamos a la habitación del hotel y saqué los poemas preguntándome si podría engañarlos otra vez. El teléfono sonó. Era Carl. Dijo que sería una buena idea bajar al Markthall para probar el micro y todo eso. Yo dije que de acuerdo y él vino a buscarme en coche. Linda Lee y yo llegamos al Markthall y subimos por la rampa. Nos esperaban: había cámaras de televisión y reporteros que hacían preguntas. No me lo esperaba. Me sentí como un político. Me siguieron por la rampa con sus cámaras y sus flashes y los reporteros tenían blocs de notas donde escribían mis respuestas a sus preguntas. Respondí algunas preguntas y luego me los quité de encima. En el interior me pillaron otra vez. Una chica de un canal de noticias de Austria. Mesas, luces. Me senté. Siempre buscaban algo más que el poema, y no tenía sentido, porque el poema lo decía mejor. Demasiados escritores se han convertido en profesores, en gurús; han olvidado sus máquinas de escribir.

La chica me miró:

–Quisiera hacerle algunas preguntas, señor Bukowski.

–Antes de hablar necesito una botella de vino.

Ella se dirigió a uno de su grupo y el tipo se fue. Volvió enseguida con una botella de vino tinto, de vino tinto malo. Tomé un sorbo del vaso, lo escupí y dije:

–Bien, de acuerdo, empieza.

Empezó a hablar de la liberación de la mujer y de política. Me dirigió preguntas con trampa en las que se suponía que yo debía caer. Pero no había nada en lo que caer. Las preguntas eran sosas y predecibles. Quizás las respuestas también lo eran. Yo estaba adormilado y me mostraba indiferente. El vino era vomitivo. Entonces empezó a sonar de fondo la Marcha hacia la horca. Me sentí como si estuviera en la ceremonia de graduación de la escuela superior. Tenía ganas de desabrocharme la bragueta y jugar con mis pelotas. Las luces estaban calientes. Me daba igual, ni siquiera lo intentaba. Dije que sí y dije que no y dije que quizá, y dije:

–No, no me follaría a mi madre, mi madre está muerta, mire, los huesos me arañarían la piel, pero una vez tuve un sueño en el que tenía relaciones sexuales con mi mamá. El mejor sueño erótico que he tenido jamás...

No. Sí. No. No.

No. ¡NO! No. Sí, claro.

–¿Mick Jagger? No, no me gusta su boca.

–¿Bob Dylan? No, no me gusta su barbilla.

La entrevista se acabó.

Me levanté y fui a comprobar la cámara y la iluminación y el micro y lo demás. Estaban bien.

Aquella tarde nos sentamos a beber en casa de Christoph, sobre todo cerveza. Después una pelirroja liberal, una tal Peggy, me gustaba, política aparte, nos dijo que yo saldría por la tele a las seis en punto. La pusimos. Era una televisión portátil pequeñita, pero ahí estaba. «El famoso escritor americano llega a Alemania.» Se habían creído que yo era Norman Mailer. No se daban cuenta de que en mi propio país mis libros se publicaban en ediciones de 5.000 ejemplares. Así que ahí estaba otra vez. Subía por la rampa con Linda Lee, yendo al Markthall a comprobar el micro. Me plantaban los micros delante de la cara. Yo estaba resacoso y parecía de mal humor. Mi pelo se movía al viento.

–No –dije–, nada de política. Nada de Dios. Nada de eso... Sí, me gustan las mujeres, a veces incluso las quiero, pero eso no siempre supone pasarlo bien... ¿Cuál es el significado de mi obra? Bueno, poner en aprietos a los curas... ¿Alemania? No sé nada de ella... ¿Qué? Oh, me gusta Céline, Knut Hamsun. ¿Hemingway? Bueno, sabía escribir pero no sabía reírse... No, no tengo nada especial que decir... Hemos venido a ver a mi tío, tiene 90 años, vive en Andernach, donde nací el 16 de agosto de 1920. Hemos venido a promocionar mis libros, he venido para hacerme rico... Hemos venido a ver unos cuantos castillos, me encantan los castillos...

Parecía auténtico. Pero muchas cosas lo parecen, como las lápidas. Después la pequeña televisión pasó a otra persona.

16

En el Markthall aquella noche la entrada valía 10 marcos. El hombre de la puerta intentó cobrarme. Le dije que yo era el que iba a dar el recital.

«Muy enfermo,
me quedé dentro
de la mezquita,
malditos sean el islam
y Mahoma...»

«Vimos el castillo de Heidelberg.»

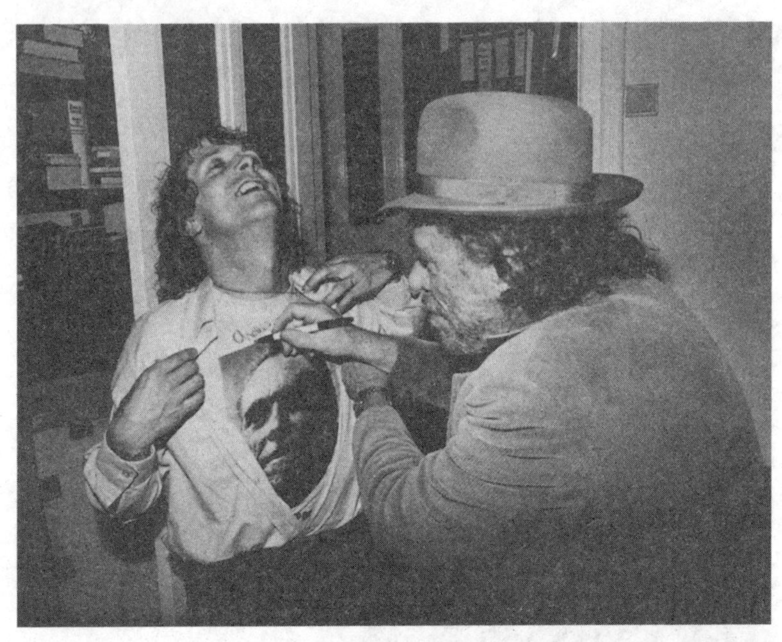

Cristoph,
el «hijo de Bukowski».

Heidelberg. «Yo me tambaleaba, pretendiendo mirar el río y todos los pueblos.»

«Tuvimos algo de suerte: allí había un bar y dentro del bar había uno de los toneles de vino más grandes del mundo.»

Ladenburg. «Podía sentir que estaban pensando en los días y los años de sus vidas.»

Más tarde me dijeron que habían tenido que rechazar a 300 personas. Convoqué a 1.200 personas y el aforo del local era de sólo 800 localidades. Me dijeron que Günter Grass había leído allí y sólo había convocado a 300 personas. Lo cual, desde luego, no significaba que yo fuera mejor escritor. Era un problema relacionado con las necesidades de las masas: Billy Graham[1] o Bob Hope habrían necesitado un campo de fútbol.

Entré. Estaba lleno de humo, se podía ver el humo elevándose por el aire. El público estaba borracho y colocado y sobrio y furioso. Todos los asientos estaban ocupados y había gente sentada en los pasillos. Unos cuantos se habían subido a las vigas del techo. Hacía calor, no había aire. Nosotros estábamos en los asientos de atrás, intentando empujar a la gente y avanzar hacia dentro. La mesa en la que iba a leer estaba allá abajo, lejos, al rojo vivo, rodeada de cámaras de televisión y micros.

Ahí estaba el público, todos aquellos cuerpos habían ido allí para verme, para escucharme. Esperaban la acción mágica, el milagro. Me sentí débil. Deseé estar en un hipódromo o sentado en casa bebiendo y escuchando la radio o dando de comer al gato, haciendo cualquier cosa, durmiendo, poniendo gasolina al coche, hasta de visita en el dentista. Le cogí la mano a Linda Lee, asustado. Era la hora de la verdad.

–Carl –le dije. Estaba cerca de mí–, Carl, necesito un trago, ahora.

El bueno de Carl me conocía. Justo detrás de nosotros, más arriba, había un pequeño bar. Carl pidió bebidas a través de la verja.

La multitud era imponente, como un animal expectante.

1. Famoso predicador norteamericano. *(N. de los T.)*

La bebida me ayudó. Hasta sostener la copa ayudaba. Me quedé allí y me la acabé. Después nos abrimos paso entre los cuerpos, intentando llegar hasta el escenario. Avanzábamos a paso lento. Sólo teníamos que abrirnos paso entre los cuerpos. Estaban hombro con hombro, culo contra culo. Generalmente yo vomitaba antes de cada lectura; ahora no podía hacerlo... A veces me reconocían y una mano llegaba hasta mí y la mano sostenía una botella. Me tomé un trago de cada botella mientras empujaba a la gente.

Cuando me acercaba al escenario, el público empezó a reconocerme.

–¡Bukowski! ¡Bukowski!

Empecé a creerme que era Bukowski. Tenía que hacerlo. Cuando tropecé con el escenario sentí que algo me corría por dentro. El miedo desapareció. Me senté, alcancé la nevera portátil y descorché una botella de buen vino blanco alemán. Encendí un *bidi.* Probé el vino, saqué mis poesías y libros fuera de la cartera. Al fin estaba tranquilo. Lo había hecho otras 80 veces antes. Estaba bien. Encontré el micro.

–Hola –dije–, me alegro de haber vuelto a casa.

Me había costado 54 años.

Un chico alemán, joven y delgado, corrió hasta el escenario y dijo:

–¡Bukowski, tú, gordo cabrón, hijo de puta, viejo indecente, te odio!

Aquello siempre me ayudaba a relajarme. Le quitaba santidad a la poesía. En América había muchos como aquel joven alemán delgado.

Me tomé otro vaso de vino y le miré mientras seguía gritándome. Siempre he dicho que cuando consigues que te odien es que estás haciendo bien tu trabajo.

Miré a mi alrededor, a la enorme multitud, y pensando en mi culo les pregunté:

–¿Puede decirme alguien dónde está la salida de emergencia más próxima en caso de incendio?

Dedigué la lectura, para mejor o peor, a Carl Weissner.

Entonces alguien gritó:

–¿Dónde está tu novia?

Y yo pedí:

–Linda Lee, ¿puedes levantarte, por favor?

Y ella se levantó de un salto, agitando los brazos, haciendo el payaso, preciosa con su rojo pelo rubio.

Después de aquello me metí en el primer poema, mientras el chico alemán joven y delgado gritaba delante de mí. Enseguida, unas cuantas personas se lo llevaron hacia atrás y siguió gritando desde allí. Tenía que tratar cariñosamente a mis detractores. Una vez, cuando trabajaba en un club nocturno, dije en respuesta a un ataque verbal:

–¡Echen fuera a ese hombre!

Lo dije en broma, pasé al siguiente poema, pero más tarde me enteré de que tres grandes caballeros, empleados del club, habían levantado al tío de su asiento y lo habían sacado por la puerta trasera, y lo habían metido dentro de un cubo de basura...

Leí y hablé con el público entre poema y poema. Y bebí mucho vino porque era gratis. Que te pagaran por beber era más milagroso que te pagaran por follar. Leí, bebí.

Había algo diferente en el público alemán. Yo había dado muchas lecturas, empecé en las librerías, después en las universidades, después en los clubs nocturnos. Ayudaba a pagar el alquiler cuando pagar el alquiler era tan necesario. Aquella gente prefería un tipo de poesía muy particular, sobre todo en los clubs nocturnos, donde competía con los grupos de rock. Querían poemas que les hicieran reír. El propietario de un local cercano a la playa seguía llamándome:

–Oye, tú barriste a los grupos de rock que tenía allá abajo. Quiero tenerte aquí los jueves, viernes y sábados por la noche de cada semana.

No se daba cuenta de que cada vez que escuchas una canción de nuevo, hay una posibilidad de que mejore, pero cada vez que escuchas un poema de nuevo sólo puede empeorar.

El público de Hamburgo era extraño. Cuando les leía un poema humorístico se reían, pero cuando les leía un poema serio aplaudían con fuerza. En realidad, era una cultura diferente. Quizás se debía a que habían perdido dos guerras mundiales seguidas, quizás se debía a que sus ciudades habían sido bombardeadas de lleno, las ciudades de sus padres. Yo no lo sabía. Mis poemas no eran intelectuales, pero algunos de ellos eran serios y disparatados. En realidad, para mí era la primera vez que el público los había comprendido. Eso me puso tan sobrio que tuve que beber más.

Acabé la lectura y les di las gracias. Entonces vino el muro de cuerpos y la firma de libros. No tenéis ni idea de lo caliente que se puso aquello. Pero de nuevo el público alemán era diferente: tenían mis *libros.* En los clubs nocturnos la mayoría de la gente traía servilletas de papel para que se las firmara. Pasaron 15 o 20 minutos y pedí clemencia, les dije, les comuniqué que no podía firmar ni un libro más. Al final llegamos al despacho y la gente venía y apretaba la nariz contra los cristales y miraba dentro mientras nosotros estábamos sentados bebiendo champán. No se iban. Todas aquellas chicas guapas y jóvenes apretando la nariz contra el cristal, aplastándose la nariz...

Tren a Hamburgo.

«De esta forma, llegó Hamburgo: la lectura me tenía acojonado, me tenía cogido por las pelotas.»

«Dentro me pillaron otra vez. Una chica de un canal de noticias de Austria.»

«–Hola –dije–, me alegro de haber vuelto a casa.»

«En realidad, para mí era la primera vez que el público... había comprendido.»

«Acabé la lectura y les di las gracias.»

«Al final llegamos al despacho...»

Hamburgo.

NORDKYN
KØBENHAVN

Hamburgo, Hotel zür Alten Post.

«Después volvimos a Mannheim, mi ciudad favorita, y al Park Hotel, mi hotel favorito. Y con nuestra camarera griega favorita.»

Después, como en las películas, nos metieron prisa para que bajáramos por una oscura escalera trasera, y había un coche negro grande y lujoso, y nos metieron prisa y nos empujaron, silenciosa y rápidamente, hasta una fiesta especial para un grupo selecto, con mucho para beber, mucho para fumar, mucho para esnifar, como en las películas...

17

Después volvimos a Mannheim, mi ciudad favorita, y al Park Hotel, mi hotel favorito. Y con nuestra camarera griega favorita. Estaba continuamente colocada sin tomarse nada. Estoy seguro de que tenía sus momentos bajos, pero nunca los vimos. Irrumpía en la habitación cada mañana sin llamar, para traernos nuestros cuatro zumos de naranja. Yo siempre estaba resacoso, en la cama, y ella me chillaba en un alemán estridente y rápido que sacara el culo de la cama. Una vez entró corriendo en el cuarto de baño y se puso a chillarme mientras estaba en la bañera. Yo sencillamente la saludé agitando mi apéndice. Lo encontré gracioso. Linda Lee pensó que no era tan divertido. Yo ya me hacía cargo...

Íbamos a beber cada noche a casa de Carl. Siempre recordaba algunas cosas del rato que pasábamos bebiendo en casa de Carl, pero casi nunca me acordaba de haber cogido el taxi de vuelta al Park Hotel con Linda Lee. Sin embargo, nos despertábamos allí cada mañana.

–¿Tú te acuerdas de haber cogido un taxi de vuelta? –le preguntaba a Linda.

–No –decía ella.

Lo peor de todo era que probablemente Carl estaba pagando la tarifa del taxi...

Estábamos bebiendo en casa de Carl, una o dos noches después de la lectura, con unos cuantos del grupo alemán, y yo estaba a gusto hasta que alguien dijo que los dos tíos del piso de al lado llevaban una casa de putas. Había algo de romántico y terrible en las putas, y desde luego siempre se podía escribir sobre ellas. En mis tiempos, había intentado salvar a un par de ellas. También intenté convertir a una ninfómana en otra persona. También intenté transformar a una lesbiana en una mujer. Por supuesto, fracasé en todas esas cosas. ¿Por qué no dejamos esas cosas en paz? Ahora sólo intento salvarme a mí mismo. Si una mujer quiere vender su cuerpo, no creo que sea muy diferente de un concertista de violín que se exhibe dando un concierto, allá arriba: hay que sobrevivir de un modo u otro, haciendo lo que sepas, la muerte llegará, pero es mejor hacerla esperar un rato con el truco que sea.

Igual que comparar lo que hace un escritor y lo que hace una puta, ¿cómo podrías apreciar la diferencia? Así que convencí al grupo de alemanes para que nos pasáramos por allí.

El tío que llevaba la casa de putas parecía más americano que cualquier americano. Llevaba un pullover limpio y una camisa limpia y elegante, y unos pantalones limpios y elegantes y zapatos brillantes. No iba vestido al estilo alemán, cómodo pero conservador. Estaba luciéndose. No me gustó desde el primer momento. Su colega era igual.

Caminaban con cuidado, como si tuvieran miedo de arrugarse la ropa, y se sentaban del mismo modo, estirán-

dose los pantalones, y sostenían las bebidas ante sí, concienzudamente; bebían no por beber, sino para aparentar que estaban bebiendo. ¿Qué clase de chulos eran ésos?

El tío más importante no hablaba inglés y yo no hablaba alemán. Me recordaba a los chicos limpios y arreglados que utilizan en los programas de televisión americanos: caras de papel suave, caras vaporosas, caras sin dolor, con pequeñas bocas de babosa que sonreían y memorizaban chistes, eran bálsamos inofensivos, no constituían ninguna amenaza para el hogar americano o el sistema americano. Ni siquiera parecía que tuvieran culos que limpiarse. Probablemente ni siquiera tenían ombligos, o si los tenían eran con forma de estrella y rellenos de purpurina.

Así que él no hablaba inglés y yo no hablaba alemán, de modo que tuve que crear algo de alemán, me inventé algo de alemán y le pegué una buena bronca. Él me escuchó.

Estaba fumándose un puro del mismo modo en que se bebía la copa, como si dijera: mírame, estoy fumándome un puro.

Le arranqué el puro de la boca y eché una calada para enseñarle cómo hay que fumar un puro: con total soltura y naturalidad.

Las putas estaban al fondo. Una llevaba un ajustado

vestido amarillo, con una teta colgando por fuera. La otra llevaba un vestido rojo, brillante y largo, pero tenía un corte de arriba abajo en un lado, se veía justo el borde de sus bragas de color morado. Las dos parecían muy usadas.

Al menos habíamos traído algo de vino en los vasos. Cuando se acabó, lo único que quedaba para beber era su piojosa cerveza. Yo seguía diciéndole al chulo más importante lo que pensaba de él en mi alemán inventado.

Entonces uno de los alemanes del grupo me dijo:

–Oye, Hank, esto no es una casa de putas. Éstos son los vecinos de Carl y las mujeres son sus esposas...

–¡Mierda –dije–, esto es asqueroso! ¡Vámonos de aquí!

Volvimos a casa de Carl y seguimos con el buen vino. Carl tenía una forma de contar historias, con su voz profunda y relajada, mirando al frente y después al techo, moviendo la mano que no sostenía la copa, y acababa diciendo: esto es lo que pasó. Tenía perspectiva, incorporaba su punto de vista y sabía cómo hacerlo, y lo mejor de todo, las historias no tenían un mensaje especial, excepto quizás la rareza y locura de la humanidad, no en general pero sí en particular. Él y Barbet Schroeder estaban tocados por el mismo jodido ángel: un cuerpo de peligro y locura con alas de risa vertiginosa. Esta clase de hombres son una suerte para todos nosotros.

Entonces sonó el teléfono. Lo cogió Carl. Era el veci-

no. Quería hablar conmigo. Escuché su alemán. Después le hablé en mi alemán. Le dije muchas cosas. Le dije cosas que recordaría el resto de su vida. Incluso para no ser un chulo era muy insatisfactorio. Le dije que me recordaba a un lemming[1] tostado con mantequilla. Tras esto, hubo una pausa y colgué.

Se estaba más a gusto en el piso. Me levanté y le enseñé a Carl cómo daba coces con la pierna cuando andaba.

–Mira, tío, tú caminas y de repente, ¡huy!, la pierna se te va para fuera ¡toma!, ¡así, para fuera!, tú ni siquiera te das cuenta. Dios mío, chaval, mira, es así: ¡huy!, ¡toma! ¡Para fuera se *va!*

Entonces Linda Lee se levantó y le enseñó a Carl cómo subía la pierna. Ella lo hacía mejor que yo. Muchas veces, de vuelta en el hotel, nos reíamos de ello, el elegante mal de Carl, nos encantaba no para burlarnos, sino como una nueva exploración.

Entonces Carl se levantó con toda su reserva alemana y una leve sonrisa.

1. Género de pequeños roedores de cola corta y pelaje color de ante, parecidos a la rata de campo, que habitan en las regiones árticas del hemisferio norte, principalmente en Noruega, Suecia, Canadá y Rusia. *(N. de los T.)*

–¿Así? –nos preguntó, dejando que la pierna se moviera para fuera.

–Sí, Carl –dije.

–Lo has pillado, Carl –dijo Linda.

Él levantó la pierna más alto y empezó a girar.

–¿Así?

–Muy bien, Carl –dijo Linda.

–Sí –dije.

Carl empezó a girar más rápido.

–¿Así?

–Sí, tío –asentí.

–¡Caramba! –dijo Linda.

Carl giró y giró, cada vez más rápido. De repente sus gafas salieron volando y dieron contra la pared. Todos nos reímos y Carl fue para allá y las recogió.

–Me alegro de que no se hayan roto –dijo–, son las únicas que tengo.

Carl necesitaba unas gafas especiales, de cristales muy gruesos. Traducir a Bukowski y a Bob Dylan y a Burroughs y a Ginsberg y a otros pocos se había cobrado su precio, pero él nunca lo mencionaba. Casi se estaba quedando ciego y tenía muy poco tiempo para su propia obra, tenía que seguir traduciendo, pero nunca se quejaba.

Bebimos más y después llegó la hora del taxi. Carl nos acompañó fuera y cuando entramos en el taxi empezó a girar, giró y giró, y mientras el taxi arrancaba nosotros le gritamos y nos despedimos de él, y cuando nos alejábamos, él aún estaba girando, cada vez más rápido bajo la luz de la luna, levantando la pierna en alto, dando coces por encima de una hilera de postes de acero de tres pies y medio de altura, que estaban clavados a lo largo del canto del bordillo...

18

Andernach, donde nací el 16 de agosto de 1920, estaba justo en la orilla del Rin y en esta ciudad vivía mi tío Heinrich, de 90 años de edad, así que fuimos a verle. Encontramos la casa y llamamos al timbre. Estábamos en un hotel a orillas del Rin; una buena habitación, cinco o seis lavabos, una bañera, pero no había retrete, el retrete estaba fuera, en el pasillo, y tenía un letrero en inglés. «No den portazos, por favor.» En cualquier caso, llamamos al timbre de casa de mi tío y abrió una mujer bastante fuerte pero de aspecto bondadoso, que tenía unos 85 años más o menos, y a la que más tarde nos presentaron como «Louisa», el ama de llaves de mi tío, que vivía con él desde hacía 50 años.

–Hola –dije–, soy Henry y ésta es Linda Lee.

–Oh –dijo ella–, pasad, por favor. Heinrich está durmiendo la siesta.

–Espere –dije–, volveremos más tarde.

–Oh, no –dijo Louisa–, él nunca me lo perdonaría. Por favor, sentaos y esperad.

Lo hicimos. Louisa subió la escalera. No tardó mucho. El tío Heinrich bajó corriendo las escaleras, completamente vestido, con zapatos brillantes, tirantes, todo... Bajó la escalera rápidamente; podría haber tenido 60 años, podría haber tenido 58, tenía 90. Irrumpió en la sala:

–¡HENRY! ¡HENRY! ¡DIOS MÍO! ¡NO PUEDO CREERLO! ¡ES HENRY! ¡DESPUÉS DE TODOS ESTOS AÑOS, HENRY!

–¡Me alegro de verte, tío Heinrich!

Nos abrazamos...

–Sentaos, sentaos...

–Tío, ésta es Linda Lee. Linda Lee, mi tío Heinrich...

–Hola, hola... Louisa nos traerá algo en seguida... Bueno, ¿cómo te va? –me preguntó.

–Bien. De viaje de negocios o algo por el estilo, supongo..., para vender libros y, por supuesto, queríamos verte...

–Dios mío, es maravilloso, nunca pensé que volvería a verte. Disculpad mi inglés...

Entonces una mujer joven que salía de la cocina entró en la sala.

–Ésta es Josephine, la mujer de mi hijo. Mi hijo es chófer y ahora está fuera de la ciudad con su jefe.

Josephine no hablaba nada de inglés.

Mi tío volvió a disculparse por su inglés.

El poco alemán que yo sabía procedía de la guía turística y siempre sentía vergüenza cuando la gente decía: «Disculpe mi inglés», porque yo ni siquiera estaba a medio camino.

–Tu inglés es muy bueno –dije–, perdonadme a mí por no hablar vuestro idioma.

Antes había hablado alemán, ahora ya no quedaba nada. Louisa llegó con pasteles y toda clase de dulces. El café se estaba haciendo. La casa estaba limpia como una patena, muy al estilo alemán, como los pasteles y el café. Me acordé de mis padres, de mi abuela: aquí siempre había habido pasteles y café, manteles y servilletas muy limpios, y una buena cubertería de plata y una buena vajilla. También había todo tipo de panes y carnes y mantequilla. Era la época en que uno se sentaba y hablaba tranquilamente de las cosas; era la pausa en la batalla de la vida; era bueno y necesario. Mi tío empezó a hablar de aquella vida, del pasado...

–¿Ves aquella casa de allí? –señaló enfrente–. Allí es donde tú vivías... Eras como el viento..., nunca parabas..., corrías por aquí... «¡Tío Hein! ¡Tío Hein!», me gritabas...

Se volvió hacia Linda Lee:

–¡Come algo, niña! ¡Tienes que comer!

–Sí, coge algún pastel –dijo Louisa.

Pobre Linda Lee, era una persona de comida sana, no le gustaban los dulces ni los pasteles.

–Está bien –dijo–, pero córtame sólo un trocito...

–¿Quieres más, Henry? –me preguntó el tío Heinrich.

–Claro, está realmente bueno...

–Supongo que querrás un poco de vino.

–Bueno, iba a traer pero...

–Disculpadme –dijo el tío Heinrich, y fue a la cocina.

Salió con una botella de vino. La debía de haber descorchado él mismo. Louisa trajo las copas de vino. Louisa no bebía vino. Linda Lee tampoco. No bebía durante el día. Quedábamos mi tío y yo.

–Yo me permito tres vasos diarios –dijo.

–¿Fumas? –pregunté.

–No, dejé de fumar cuando tenía 60 años.

Era extraordinario. Tenía la piel suave, no tenía ni una arruga, y conservaba sus propios dientes; tenía las cejas espesas y los ojos muy vivos, y la espalda recta como una tabla, y cuando andaba, andaba rápida y enérgicamente. Parecía disfrutar de cada momento. Era yo el que estaba cansado. Me acabé la copa y me serví otra.

–Tengo mucho. Es bueno, ¿no crees?

–Sí, gracias...

–Hay más botellas. Sabes, he leído tus libros. Me gustan. Me gustan todos menos uno. Sabes, me gustan las cosas reales, las cosas de la vida, la vida real. No me gustan las cosas inventadas. No me gusta *La máquina de follar*...

–Eso está bien, tío, pero después de escribir algo intento olvidarlo. No importa lo que pase después, incluso si me dicen que es bueno.

–Me gustaría que vieras la casa donde naciste –dijo–, no está lejos.

–Tío, ¿te importa que te hagan unas fotos?

–No.

–Tengo un amigo, un fotógrafo, Michael, que ha venido hasta aquí con nosotros. Le gustaría venir y hacerte unas fotos... Ha alquilado un coche... Después podríamos ir y ver la casa...

–Sí –dijo–, eso estaría bien...

Yo había oído hablar de la casa, me habían dicho que ahora era un burdel. Me pregunté si él lo sabría.

–Ahora está en venta –dijo el tío Heinrich–, había unas cuantas mujeres que vivían allí pero se mudaron. Ahora está en venta...

Era una casa amarilla, alta y estrecha, construida en un triángulo de terreno.

–¿Ves aquella ventana? –preguntó mi tío.

–Sí.

–Ahí es donde tú naciste, aquél es el dormitorio.

–¡Oh, la casa está en venta –dijo Linda Lee–, comprémosla!

–Vámonos. Quiero enseñarte dónde conoció tu padre a tu madre...

Así que subimos al coche y fuimos al otro lado de la calle.

–Ahora te lo cuento –dijo mi tío–, las tropas americanas estuvieron ocupando el piso de abajo.

»Tu madre y tus abuelos vivían allí arriba y yo les visitaba a menudo. Tu padre era sargento y hablaba un alemán perfecto.

»"El guapo sargento Bukowski", solía decir tu madre, "me apuesto lo que sea a que intenta tomarles el pelo a todas las chicas." Era justo después de la guerra y había muy poca comida para los alemanes, y las tropas americanas

solían sentarse abajo delante del fuego, y comían carne y tiraban la grasa y otros trozos al fuego. Aquello a tu madre la volvía loca. "¡Podríamos comernos la comida que queman! ¡Hay que ser un cabrón para tirar así la comida!" De todas formas, a tu madre le presentaron al sargento Bukowski y ella le escupió en los zapatos y corrió escaleras arriba. Un par de noches más tarde el sargento Bukowski subió la escalera y llamó a la puerta. Traía carne, carne buena, cocinada, además de otras cosas..., pan, verduras. Nos lo comimos. Y después de aquello cada tarde, entrada la noche, nos traía carne y nosotros nos la comíamos. Así es como se conocieron y llegaron a casarse...

¿Así es como lo hizo?, pensé. Bueno, sí, eso encaja con mi opinión sobre él.

–Tu padre era un hombre muy inteligente –me dijo el tío Heinrich.

Caminamos hasta la escalera.

–Ves –continuó–, ésta es la escalera por donde subía. Y éste es el fin de la historia. Ahora vámonos.

Y subimos al coche y nos fuimos...

19

Aquella noche uno de los alemanes, Thomas, bajó a nuestro hotel para enseñarnos un documental que había hecho sobre mí. Vino con su proyector de películas..., no, no era eso, era algo que se conectaba a un televisor y se veía el documental a través de la pantalla del televisor. A Thomas le acompañaban algunos amigos, tres o cuatro personas silenciosas, y bajamos al comedor del hotel y montamos el equipo, y abrí las botellas de vino que había preparado.

Les dije:

–Bebamos un poco antes de empezar con esto.

Thomas asintió. Empezamos a beber y a hablar de los viejos tiempos, como aquella vez que había venido a Los Ángeles y lo que hicimos y dijimos y bebimos allí. Me preguntó por varias personas.

–No, ya no están allí.

–No, tampoco están allí.

–No, se fue. Cortamos. Ya no la veo.

Los amigos de Thomas no bebían. Linda Lee sí, y Thomas y yo bebíamos de verdad. Nos pusimos a ver el documental. Tenía un buen ojo para la cámara. Sabía lo que estaba haciendo, pero había roto con su mujer y era infeliz, aunque parecía tener una novia nueva, pero no estaba seguro de si eran amigos o amantes. O amigos y amantes. O amantes y enemigos. Bebimos y miramos el documental. Después se acabó.

–Bien hecho –le dije a Thomas.

Por supuesto, a mí siempre me interesaban las cosas en las que yo salía.

Thomas siguió bebiendo y empaquetando el equipo. Un grupo de alemanes entró y se sentó en las mesas. Eran más de una docena. Parecían prósperos y tenían entre 40 y 65 años. Cuando se sentaron empezaron a cantar todos juntos. No lo hacían mal del todo. Llegó una ronda de cervezas. Cantaron otra canción. No estaba mal. Entonces entró un hombre que se parecía a Jimmy Durante. Sus ojos brillaban más que los otros ojos. Se sentó y cantó un solo. Su voz era suave y profunda, era jodidamente bueno. Llegó una ronda de cervezas. Después cantaron todos juntos. El dueño del hotel, un tío con la cara muy colorada y con mucha vista para los negocios, llegó y empezó a dirigir a los cantantes, allí de pie moviendo los brazos y cantando con ellos. Me gustaban las palabras alemanas. No sabía lo que significaban pero me gustaban. Bebí un poco más de vino y escuché. Después me puse en pie junto al dueño del hotel y moví los brazos como el dueño del hotel y canté con los alemanes. No pareció importarles.

Fui a por más vino y volví a cantar con los alemanes. Era agradable y siguió y siguió. Entonces empecé a cantar:

–Deutschland, Deutschland über alles...[1]

Unos pocos se unieron, pero en voz muy baja. Lo canté más alto. Alguien me cogió aparte y me dijo en inglés:

–Les preocupa que cantes esta canción. Algunos de ellos están relacionados con el nazismo.

–¡Oh, mierda! –dije.

Entonces canté la canción otra vez y volví y me senté y me bebí el vino con mis amigos alemanes y con Linda.

Pronto nos habíamos bebido todo el vino. Le dije a Thomas:

–Tú y tus amigos, subid a nuestra habitación. Tengo más vino.

–Vale –dijo Thomas.

La esposa del dueño del hotel me había oído. Mientras Linda y yo subíamos las escaleras, se plantó entre nosotros y Thomas y su gente.

–¡No! –dijo–, ¡están muy borrachos! ¡No lo permitiré!

Thomas estaba cayéndose por las escaleras. Estaba tan borracho como pueda estarlo un hombre. Sus amigos nos dijeron:

–Nosotros le llevaremos a casa. ¡No os preocupéis!

–Mire, señora –le dije a la mujer del dueño–, la noche es joven. Estaremos calladitos ahí arriba. Lo único que queremos hacer es beber tranquilamente en la ciudad que me vio nacer.

1. Antiguo himno nacional alemán. Los nazis lo utilizaron como propio, por lo que fue prohibido en 1945. *(N. de los T.)*

–¡No! –dijo ella–, ¡está muy borracho, no lo permitiré!

Así que subimos y salimos al balcón con vistas al Rin y allí estaba mi documentalista, Thomas, al que llevaban con el equipo hacia el coche.

–¡Thomas! ¡Tú, maravilloso hijo de puta! –grité–. ¡Larga vida a Alemania! ¡Larga vida para ti!

No me oyó.

–¡Buenas noches, Thomas! –gritó Linda.

Tampoco la oyó. Vimos cómo se alejaba el coche, después volvimos a la habitación. Descorché otra botella de vino.

–Sólo ésta –dije–, después nos vamos a dormir. Recuerda, mañana tío Heinrich nos va a llevar a un castillo.

–Me encantan los castillos –dijo ella–, pero ¿dónde están los cigarrillos? No encuentro los cigarrillos...

20

El domingo fuimos al hipódromo de Dusseldorf. El grupo de alemanes vino con nosotros; había una cámara en directo y un fotógrafo y un periodista. Era difícil llevar una vida normal en Alemania, pero uno se rendía porque era temporal. De vuelta a América, donde apenas era conocido, podría disfrutar otra vez de mi aislamiento. Los

dioses eran buenos conmigo; me habían estado protegiendo durante una larga temporada: 58 años.

En Alemania, la gente que apostaba iba mejor vestida que en Estados Unidos. No estaban tan desesperados; más bien parecía que estaban viendo una película. En América, mucha gente conseguía el dinero para el alquiler apostando, el dinero para la comida, dinero prestado y robado que se apostaba a las carreras.

–¿Dónde diablos está el panel totalizador? –pregunté a uno de los alemanes.

–¿El panel totalizador? –preguntó–. ¿Qué es eso?

–Es un panel que te dice cómo están los *odds*[1] de tu caballo cuando miras las apuestas. Los *odds* generalmente van variando a medida que se apuesta.

–Voy a preguntarlo –dijo.

Era un tío amable que manejaba una de las cámaras.

Me volví hacia otro tío amable que tenía un micrófono en la mano.

–¿Dónde está el panel totalizador? –le pregunté.

–¿Qué panel totalizador?

–El que dice cómo están las apuestas.

–¿Céline ha influido en su obra? –preguntó.

1. En Estados Unidos, la proporción en que se ofrece pagar una apuesta, que refleja las posibilidades de acierto de la misma: cinco a uno, diez a uno... *(N. de los T.)*

–Basta ya –dije–, quiero saber dónde puedo averiguar cómo están las apuestas de mi caballo.

–¿Cómo están las apuestas? –preguntó.

Nos sentamos en una mesa y empezamos a beber cerveza.

El otro tío amable volvió.

–No hay panel totalizador –dijo.

–¿Cómo sabes cómo están las apuestas de tu caballo?

–No lo sé –dijo.

Linda Lee encontró un periódico.

–Mira –dijo–, aquí hay algo sobre los caballos. Creo que pone en qué posición han acabado sus carreras. Mira esto...

Me pasó el periódico. Sí, claro, había los nombres de los caballos y después de cada caballo algo como esto: 9/8/2/6/7/5/9/1/ 2/5/3 o 6/4/7/2/1/9/2/8/3.

No había indicación de subida o bajada de categoría, cuál era la distancia recorrida en cada carrera o el peso del jockey o el jockey o los hipódromos donde habían corrido o las condiciones de la pista, o los resultados parciales. No había nada con qué trabajar. Y no había panel totalizador.

Nunca fui a un hipódromo a apostar a la suerte. Sería lo mismo que quedarse en casa y jugar al bingo con la abuela. Tenía que haber un modelo o una manera de apostar o todo era inútil.

La carrera estaba a punto de empezar y cogí un número. Había incluso cierta confusión respecto a qué ventanilla significaba qué, dónde apostar y si era a ganador, a colocado o entre los tres primeros. Nunca me han gustado las multitudes. Me gustaba ir a las carreras solo y poner en práctica mis jugadas. Tenía una docena de sistemas con los que ganaba y una docena de sistemas con los que perdía, pero tenía un método de juego y estaba basado en cifras y en el funcionamiento del panel totalizador. Me sentía como si estuviera escupiendo dentro de un armario oscuro, intentando acertar en el ojo de un ratón. Así que escogí el seis, sin ninguna razón especial, para ganar, y fui el primero hasta los cuatro últimos saltos antes de la meta, y el caballo de Linda Lee adelantó al mío.

Ella empezó a saltar.

–¡Oooh –decía–, oooh, hueeuee!

–Vaya mierda –dije.

Antes de la siguiente carrera uno de los alemanes descubrió algo.

–Después de los primeros minutos de apuestas, anuncian la cantidad de dinero que se ha apostado a cada caballo.

Así que esperamos el anuncio y entonces anotaron lo que se había apostado a cada caballo. Yo tampoco sabía qué hacer con aquello. Quiero decir que en América el dinero bueno normalmente entraba tarde y utilizabas eso junto a tus cifras y las apuestas, mientras intentabas distinguir el dinero bueno del dinero público. En América siempre era igual: le quitaban a las masas el dinero apostado y se lo guardaban en sus propios bolsillos, libre de impuestos. No ganaban cada carrera pero ganaban tres de cada cuatro, y viendo las carreras, las apuestas y la opinión pública contraria y las carreras de caballos en el *Daily Racing Form,* normalmente yo lo hacía bastante bien en los hipódromos. Me había costado unos buenos 20 años aprender mis jugadas y allí estaba, en Alemania, jugando a ciegas, confiando en la suerte.

Apostamos sin parar. Linda tenía suerte, un poco de suerte, yo no podía apostar muy fuerte, todo el asunto tenía un aire de feria de pueblo, no conseguía disfrutarlo. Los alemanes se pensaban que a mí sólo me gustaba holgazanear por los hipódromos y ver cómo corrían los caballos. A mí me importaban una mierda los caballos; parecían bonitos y cagaban una especie de mierda en forma de caña plana, eso es todo lo que yo sabía. Iba a los hipódromos para intentar escapar de la fábrica, de la oficina de correos de Estados Unidos. Iba a los hipódromos buscando una oportunidad en la vida. Los alemanes habían leído mis relatos y pensaban que sólo me gustaba divertirme en los hipódromos, sospecho, como a alguna gente le gusta divertirse en su jardín o sacando brillo a su automóvil. Así que todo el panorama de aquel día estaba torcido y las cámaras filmaban y me plantaban el micro delante de la cara y lo único que yo decía aquel día era:

–Jesucristo, este montaje es pura mierda, no tiene sentido. Aquí no hay nada que hacer. Podríamos estar perfectamente en una cámara de tortura con el hijo puta del diablo...

De esta forma, aquella noche estábamos bebiendo, por supuesto, la cámara finalmente apagada, y había un tío joven que mantenía el micro delante de mi cara, la cinta avanzaba y seguía haciéndome preguntas, intentaba extraer pensamientos profundos de mi interior:

–¿Cree que vale la pena vivir la vida?

–No con este micro en la cara, gilipollas...

–¿Odia a las mujeres?

–No tanto como odio a los niños.

–¿Cuál es el significado de la Vida?

–La negación.

–¿Y la felicidad?
–La masturbación.
–¿Y la esencia?
–Las rebajas a mitad de precio.

No recuerdo muy bien cómo acabó aquella noche excepto que había una escalera con escalones muy pequeños por la que tenías que bajar cada vez que querías mear, y que dejaban el teléfono en mitad de la escalera cada vez, para poner a prueba tu memoria. Pero a pesar de todo no era un mal sitio, las bebidas seguían llegando, pero al día siguiente me hicieron levantar temprano y me sentaron en una terraza con vistas a la ciudad, hacía un frío de cojones y yo estaba resacoso y pedí una cerveza y después otra cerveza, y estuve allí sentado despegando la etiqueta de la botella de cerveza, y miré hacia abajo y vi el micrófono y la cámara comenzó de nuevo, y enfrente de mí estaba sentado mi buen amigo Thomas, resacoso, y empezó:

–Bueno, y ahora ¿qué piensas de Alemania?

21

Fuimos a ver la catedral, me afectó un poco, era algún tipo de arquitectura, y entramos y estaba lloviendo un poco (fuera) y dentro olía un poco como a meados, y el interior era más impresionante que el exterior, subía y subía y casi me hizo confiar en la posibilidad de aceptar al Dios cristiano en lugar de mis 17 minúsculos dioses protectores, porque un gran Dios me habría ayudado en medio de tanta porquería y terror y dolor y horror, todo habría sido más fácil y quizás incluso más lógico, me habría ayudado a entender a alguna de las putas y a alguna de las mujeres con las que había vivido, los trabajos aburridos, la falta de trabajo, las noches de locura y hambre, y supongo que cada persona que ponía los pies en aquella catedral había tenido los mismos pensamientos y alguno de sus pensamientos les había llevado a convertirse, pero yo, pensé, si me convirtiera, si creyera, entonces tendría que dejar al diablo solo, allá abajo con sus llamas, y eso no sería muy amable por mi parte, porque en los acontecimientos deportivos yo casi siempre tendía a animar al perdedor, y en los acontecimientos espirituales estaba afectado por la misma enfermedad, porque yo no era un hombre que pensara, yo me movía por lo que sentía y mis sentimientos se dirigían a los lisiados, a los torturados, a los condenados y a los perdidos, no por compasión sino por camaradería, porque yo era uno de ellos, perdido, confuso, indecente, miserable, miedoso y cobarde; injusto, y amistoso sólo a ráfagas, y aunque estuviera jodido, sabía que eso no me ayudaba, no me curaba, sólo reafirmaba mis sentimientos.

El Gran Dios poseía demasiadas armas para mí, era demasiado justo y demasiado poderoso. Yo no quería ser perdonado o aceptado o encontrado, quería algo menos que eso, no demasiado: una mujer con una mediana honestidad en cuerpo y alma, un automóvil, un lugar donde estar, algo de comida y no demasiados dolores de muelas ni ruedas pinchadas, ni largas enfermedades hasta la muerte; hasta un televisor con malos programas estaría bien, y un perro sería agradable, y muy pocos amigos y buena fontanería, y suficiente bebida para llenar los espacios hasta la muerte, de la que (para ser un cobarde) tenía muy poco miedo. La muerte tenía muy poco significado para mí. Era la última broma de una serie de bromas pesadas. La muerte no era un problema para los muertos. La muerte era otra película, no había por qué preocuparse. La muerte sólo causaba problemas a los que quedaban atrás que tenían alguna relación con el muerto, y los problemas crecían de manera directamente proporcional a la fortuna que dejaba el muerto. Con un vagabundo de los barrios bajos el único problema era la recogida de basura. Unos cuantos entran en el mundo ricos pero todos se van arruinados. Desde luego, con los artistas es diferente: el artista deja tras de sí un pequeño perfume que algunos llaman inmortalidad, y, por supuesto, cuanto mejor es lo que hace más grande es el hedor que deja tras de sí: en color, en sonido, en letra impresa, en piedra y en otras formas. Pero esta inmortalidad es sólo un defecto de la vida: la gente se cuelga en el hedor, lo adoran. Esto no es un defecto del artista. El artista sabe que no pertenece a la inmortalidad más de lo que pertenece a la vida: sólo un intento, y basta, dejemos que el siguiente pruebe suerte.

No es que empezara a aburrirme de estar en la catedral pero me había paseado por mis pensamientos y estaba resacoso y soñoliento (como de costumbre); tenía serios problemas para mantener los ojos abiertos, pero eso no estaba mal, en realidad creo que es un error mirarlo todo, es agotador: deberíamos escoger las cosas, digerirlas un poco y dejarlas en paz.

La gente se altera porque no comprenden la matemática central y aguantan durante demasiado tiempo la misma rutina, y más tarde rechazan follar con sus amantes o pegan a sus hijos o tienen indigestión o insomnio, gases, úlceras sangrantes, odian la economía y a los dirigentes, al gobierno, las carreteras –todos los odios lógicos e inútiles–, tienen calambres en los dedos de los pies, espasmos en la espalda, y el insomnio acaba en pesadilla. Porque han mantenido los ojos abiertos durante todo el maldito día del Señor y han visto demasiado.

–Vámonos de aquí de una puta vez –dije a mi gente, y lo hicimos y eso fue Colonia.

22

De vuelta a Mannheim tuvimos que esperar 21 días para conseguir un vuelo barato especial, y decidimos que sería mejor salir del aeropuerto de Frankfurt a Los Ángeles antes que volver a París y después volar a Los Ángeles. Carl nos llevó a la agencia de viajes y nos cambiaron los billetes y nos hicieron las reservas. Aquello quería decir que pasaríamos unas cuantas buenas noches más bebiendo y descansando en el Park Hotel y en casa de Carl. Mannheim aún era mi ciudad favorita después de Los Ángeles, pero por razones diferentes: era tan limpia y tranquila, la gente tan normal y natural, era un buen cambio para mí, y después estaban Carl y Waltraut, me gustaban mucho los dos, lo cual me sorprendía porque yo tenía muchas dificultades con la gente. Para mí no había muchos. Estaba aquel loco de Barbet y estaban Linda Lee y mi hija, y fuera de esto caía en picado, la gente podían ser lo mismo moscas que guijarros. Bueno, no, los guijarros no eran tan malos.

Pobre Carl, estaba traduciendo a Ginsberg y era un trabajo duro, pero ahí estábamos, bebiendo en su casa por la noche, uno siempre se figura que pasará mucho tiempo antes de volver a Europa y a Carl otra vez, y Ginsberg seguiría, probablemente durante siglos. Así que nos entrometimos. Las noches fueron agradables, Carl era un narrador de historias sincero, las contaba bien y hacía mucho tiempo que no nos reíamos así. Pero llegó el día en que tocaba irse y Carl y Waltraut y Mikey y Linda Lee y Bukowski y el equipaje se metieron en el coche de Carl y todos juntos nos fuimos a Frankfurt.

Era un viaje largo en coche, pero llegamos allí y nos bajamos con todo el equipaje, con la cámara, y era un aeropuerto grande, GRANDE, y dejamos a Waltraut y a Mikey con el equipaje y empezamos a andar, buscando AIR FRANCE. Por supuesto, estaba en la *otra* punta del aeropuerto, y les dimos nuestros billetes. La señorita empezó a teclear en un ordenador, después paró. Entró en una oficina trasera y empezó a hablar con otra señora sentada detrás de una mesa.

–Oh, mierda –dije–, algo va mal.

–En la agencia de viajes nos dijeron que todo estaba bien –dijo Linda.

–Probablemente se han dado cuenta de que te deben dinero –dijo Carl.

Sentí que algo me fallaba en la barriga. Fui a por una taza de café. Cuando volví, había tres chicos jóvenes sonriéndome abiertamente.

–Tú eres Charles Bukowski –me dijo uno de ellos.

Asentí. Ellos se quedaron allí sonriendo.

–Espera –dijo uno.

Volvió con tres trozos de papel. Vi que trabajaban en el aeropuerto, llevaban una especie de uniforme.

–Un autógrafo, por favor...

Yo apenas podía escribir mi nombre. La última noche de borrachera había cogido una buena. Estaba sudando y las letras me daban vueltas. Firmé los tres papeles e hice pequeños dibujos en ellos. Los jóvenes me sonrieron.

–¡Gracias, muchas gracias! –dijeron.

–Vale –dije.

Cuando volví, Carl me explicó:

–Dicen que el billete no es válido. Sólo es válido de París a Los Ángeles.

–Mierda –dije–. ¿Quieres decir que con todos estos aviones que tienen aquí, en el aeropuerto, no nos dejarán subir a uno?

–La chica de la agencia de viajes no sabía lo que hacía –me dijo Linda.

–Pagaremos la diferencia –dije–, sólo queremos subir al avión.

–Nos ha dicho que estos billetes son de tarifa reducida y sólo pueden utilizarse para ir de París a Los Ángeles –dijo Carl.

Volvimos todos a ver a la chica. Hablábamos en francés, inglés y alemán, al menos lo intentábamos. La chica nos dijo que la única manera de poder subir al avión era comprar dos billetes de ida de Frankfurt a Los Ángeles.

–Está bien –dije–, ¿cuánto es?

La chica hizo trabajar a su lápiz un rato y nos dijo que cada billete costaba 845 dólares.

–Dile que yo no soy Norman Mailer –le dije a Carl.

Tenía ganas de tumbarme en el aeropuerto y abandonarlo todo.

Conocía a gente a la que le *encantaba* viajar. Y algunos andaban por oscuros callejones porque había mucha emoción en el hecho de que les podían asesinar.

–Tendremos que coger un tren hasta París, eso es todo –dije.

–Vamos a comer –dijo Linda.

Empujamos el carrito con el equipaje dentro del restaurante y encontramos una mesa. Mientras estábamos allí sentados pasó un camarero, tropezó con algo; se cayó y tiró su enorme bandeja; los platos se rompieron, la comida resbaló y rodó por todo el suelo, armando un escándalo. Había mucha y no me salpicó por los pelos. Se hizo el silencio y el camarero se levantó y empezó a recoger los desperdicios y los platos rotos mientras todo el mundo le miraba. Bueno, al menos podía irse a casa y descansar, y después leer las ofertas de trabajo. Vino alguien y le ayudó. Recogieron la mayor parte y entonces el mozo o el fregaplatos salió con una fregona y limpió todo el suelo; una o dos veces noté que las tiras húmedas y sucias de la fregona me rozaban los tobillos. La verdad es que la vida es insoportable, lo que pasa es que a la mayoría de la gente le han enseñado a fingir que no lo es. De vez en cuando había un suicidio o alguien ingresaba en un manicomio pero la mayor parte de la gente seguía adelante, fingiendo que normalmente todo era agradable.

Después de un rato pedimos. Era otro camarero. Al que había resbalado no se le veía por ninguna parte. Probablemente estaba descansando en el cuarto de la limpieza o llamando a su madre. Empecé a comprender la anarquía: me pedí dos cervezas. Los demás pidieron diferentes platos y tés, limonadas, platos de helado cubiertos de hiedra y tartas de cereza.

–Esa cerveza te pondrá enfermo –me dijo Linda Lee.

Carl estaba allí sentado, y miraba a través de sus gafas de cuatro centímetros de grosor cómo Mikey iba pegando fuego a las servilletas de papel.

–Bueno –dijo Carl–, ¡qué COÑO!

Enseguida llegó la comida y era como la comida de aeropuerto de cualquier parte: nadie podía comérsela. Mikey fue el que lo hizo mejor con su plato de patatas fritas, después, a un tercio del camino lo dejó e intentó prenderles fuego; no funcionó: ya estaban quemadas.

Así que acabamos y tuvimos que volver al coche con todo el equipaje y la cámara, y lo metimos todo dentro, incluidos nosotros, y empezamos el viaje en coche a la estación de tren. Carl conducía mientras nos seguíamos comiendo su tiempo, y Waltraut se mostraba comprensiva y Mikey esperaba su turno para poner a prueba el universo. Tener amigos así es saber que siempre serás salvado de la boca del tiburón y hace las pequeñas y discretas cosas humanas mucho más milagrosas que las catedrales muertas.

De esta forma, fuera del tren teníamos marcos, francos y dólares, estábamos esperando y Carl nos dijo:

–Llamaré a Barbet para decirle cuándo llegáis a París. Y si no puedo localizarle probaré con Rodin o Jardin.

–Gracias, Carl...

Jugamos con la cámara mientras esperábamos y después nos despedimos y subimos al tren, después la despedida por la ventana del tren a medida que se iba alejando. Cuando te importa, éste es uno de los acontecimientos más tristes de la vida y del vivir, y el mejor truco es actuar como si estuvieras aburrido, cualquier otra cosa puede resultar embarazosa, y además el tren no va a pararse ni a dar marcha atrás, así que es un poco como morir lentamente, ni siquiera tan bueno, es mejor entrar en el compartimento y sentarse allí y buscar los mapas y los cigarrillos, asegurar el equipaje para que no se te caiga en la cabeza, mirar si los posabrazos se bajan y se suben para poder tumbarte, comprobar el pasaporte y el estreñimiento, y después considerar cómo y cuándo vas a ir a pillar tu primera copa.

23

Linda Lee me informó de que no había vagón restaurante ni coche bar, pero que un hombre con un carrito pasaría pronto por allí.

–Oh, eso sólo lo dicen para que no vayas corriendo arriba y abajo por los pasillos.

–No, lo dice bien claro en esta tarjeta.

–Está bien –dije.

–Supongamos que Barbet no esté en la estación de París.

–Bueno, encontraremos un hotel en alguna parte y haremos que las cosas funcionen.

–Quizás Rodin esté allí.
–O Jardin.
–Preferiría a Barbet.
–Claro, será todo un infierno intentar descubrir cómo se coge el avión para Los Ángeles. Dios, me alegraré de volver. Esto ha sido una jodida pesadilla.
–¡Oh, a mí me ha *encantado*! ¿No podemos quedarnos más tiempo? Quedémonos dos semanas en París. Hasta te dejaré tener a una de aquellas putas.
–No, quiero volver a Hollywood, quiero un hipódromo con panel totalizador, quiero oír mi máquina de escribir haciendo temblar las paredes. Quiero entrar en cualquier sitio y pedir una comida sin tener que usar la pequeña guía turística. ¡Quiero ver a mi maldito gato!
–Necesitas una copa.
–Necesito una copa y un cambio geográfico.
–Siéntate y espera al hombre del carrito. Relájate.
–Está bien.
–Quítate los zapatos.
–Está bien.
Nos sentamos y miramos el paisaje que iba quedando atrás. Toda aquella gente en sus casas, sentados en sillas, cómodos y sanos, estaban descansando, esperando la muerte.
–Hank...
–¿Qué?
–Creo que he perdido el bolso. Tenía los pasaportes dentro, todo el dinero, los billetes de avión...
–Estás sentada encima de él...
–Oh...
Linda cogió su bolso y lo abrió.
–Están los dos pasaportes.
Miró algo más.
–Hank...
–¿Qué?

«Andernach, donde nací el 16 de agosto de 1920.»

Tío Heinrich.

«... la casa donde naciste.»

Las balas de cañón suecas, Andernach.

KD

Andernach
ANDERNACH

Colonia.
«Fuimos a ver la catedral.»

«El gran Dios poseía demasiadas armas para mí.»

«Mannheim aún era mi ciudad favorita después de Los Ángeles.»

«Después estaban Carl y Waltraut, me gustaban mucho los dos.»

En casa de Carl.

B32 bis B59
Tickets- and Passport control
International passengers only

–Sólo encuentro *mi* billete de avión..., el tuyo no está aquí...

–Oh, mierda...

–Tendrás que quedarte. ¿Me acompañarás al avión?

–¡Sigue buscando!

–No, ¿no te acuerdas? En el aeropuerto de Frankfurt la chica se llevó los dos billetes a la habitación trasera para hablar con la supervisora y recuerdo que cuando salió sólo llevaba un billete.

–¿Entonces por qué no...?

–Espera, ¿qué es esto? Oh, aquí está...

Se rió.

–Te he tomado el pelo, ¿eh?

–Sí, lo has hecho...

Entonces llegó el hombre del carrito. Busqué en el carrito.

–¿Sólo lleva cuatro botellas de vino tinto en el carro? ¿En serio?

Eran botellas pequeñas, buenas solamente para dos vasos de vino. Aquello era todo lo que tenía, aquellas cuatro. Nada más excepto bebidas sin alcohol, bocadillos de queso y jamón, bolsas de cacahuetes, flores de algodón, postales, cajas de preservativos, juguetes, globos, anteojos de teatro falsos y rompecabezas chinos.

–Supongo que le compraron todo el vino antes de que llegara aquí.

–No, sólo he vendido dos botellas. ¿Quiere alguna más?

Era un hombre joven y hablaba un perfecto inglés, sin rastro de acento. Realmente extraordinario.

–Sí, quisiera unas cuantas más.

–¿Cuántas más?

–Todas las que tenga.

–Por favor, vigile el carrito, señor. Volveré enseguida.

Abrimos las dos primeras botellas de vino.

–Un tío agradable –me dijo Linda–, y con un inglés tan natural...

–Probablemente es algún vagabundo americano que no encuentra el camino de vuelta. Está aquí perdido para siempre.

–Podría pensar cosas peores –dijo Linda.

–Yo también: pérdida de los nervios motores o cáncer terminal.

–Sabes –dijo Linda–, creo que este tren está volviendo por donde vinimos. Me parece recordar todas estas estaciones, me parece que recuerdo haberlas pasado.

–Mira, Carl nos metió aquí. Dijo que este tren iba a París.

–Ya sé que tú tienes un alto concepto de Carl. Y es verdad, es un magnífico traductor y amigo y ser humano, pero hay algunas cosas en las que no es muy bueno, cosas como aeropuertos u horarios o trenes, bueno, simplemente no sabe hacer esas cosas, se queda en blanco.

–Todas estas ciudades parecen iguales. Bébete el vino.

–No es sólo eso. Son los nombres de las estaciones. Me acuerdo de ellos.

Linda se levantó y caminó hasta el final del vagón. Después volvió.

–En el letrero de allá atrás pone Heidelberg. ¡Estamos volviendo a *Heidelberg*, vamos en dirección *contraria!*

Me levanté y miré el letrero: ponía «Heidelberg».

–¡Oh, mierda –dije–, el pobre Barbet estará esperándonos en la estación de París y nosotros no estaremos allí!

Nos sentamos y nos bebimos el vino.

Entonces volvió el hombre del carrito. Traía ocho botellas más.

–Ha sido muy amable de su parte –le dije.

–No es nada –dijo–, olvídelo.

Le pagué el vino y le di propina. Él empujó el carrito hacia fuera.

–Algo bueno dentro de todo lo malo –dije.

–Bueno –dijo Linda–, no estará tan mal volver a ver Heidelberg, me gustó mucho. Me gustaría volver a ver el castillo.

–Linda, lo único que quiero es volver a Hollywood. Quiero apoyarme en un puesto de *tacos*[1] y contemplar la calle. –Estábamos sentados bebiendo y mirando lo que pasaba a través de la noche–. Quisiera saber –dije– por qué no le preguntamos al hombre del carrito adónde va este tren. Hablaba un inglés perfecto. Creo que estaba demasiado emocionado buscando el vino.

–Podríamos preguntarle al revisor.

–Sí.

Me levanté y esperé al revisor. Por lo general vienen directamente a tu compartimento. Vi pasar a uno.

–¡Hey! –le grité–, ¡HEY!

Pasó de largo.

Vi a un hombre de aspecto acomodado que estaba de pie en el pasillo, mirando por la ventanilla. Caminé hacia él y me quedé allí. Él fingió no darse cuenta de mi presencia. Le dije, en inglés:

–Perdone, señor, ¿este tren va a París?

Él señaló con el dedo su reloj de pulsera.

–Ya sé qué hora es –dije–, lo que quiero saber es si este tren va a París o no. ¿Este tren va a París?

Él se quedó allí mirando por la ventanilla. No me contestaba. Le tiré de la manga.

–¿Este tren va a París?

Miró su reloj.

–Son las siete y cuarto –me dijo.

1. En castellano en el original. *(N. de los T.)*

Yo estaba considerablemente borracho. Me acerqué a él:

–No se lo preguntaré más. Y si no me lo dice, entonces estoy seguro de que algo terrible le va a pasar. Así que se lo pregunto por última vez: «¿ESTE TREN VA A PARÍS?»

–Sí, sí –dijo.

–Gracias –le contesté.

Volví al compartimento y me senté.

–Vamos a París –le dije a Linda Lee.

–¿Cómo lo sabes?

–Un caballero me lo ha dicho.

El vino sabía mejor que nunca y cuando, no mucho más tarde, los aduaneros franceses subieron al tren supimos que íbamos en la dirección correcta. Me gustaron sus uniformes y su eficacia. Cuando era pequeño tenía soldados de juguete franceses, americanos y alemanes. Solía hacer trincheras sobre la colcha de mi cama y había algunas batallas, pero al final siempre ganaban los alemanes. Pasamos por dos servicios de aduanas; no estoy seguro, pero los primeros parecían ser oficiales de policía y el segundo grupo parecían militares. Me gustaban más los militares, no estaban tan gordos y eran más conscientes de sí mismos. De todas formas, París estaba rodando hacia nosotros. Vaya mierda de escritor estaba hecho, no había apuntado los nombres de ciudades y lugares, sitios turísticos, momentos y grandes sentimientos. De todas formas, ahora todo aquello era basura. Hasta los modernos admitían que París ya no es lo que era. Pero me parecía un lugar tan bueno como cualquier otro para volverse loco. De todas formas, el día del turista americano se había acabado. Ahora sólo viajaban los hombres de negocios y los gángsters y los casi muy ricos. Los ricos de verdad no podían permitírselo, los secuestrarían. Cuanto menos dinero había alrededor, más se desesperaban los que no tenían, al menos los que eran capaces de pensar. Los demás aguantaban como buenos tíos y veían la tele, si podían permitirse ver la tele. A los demás, a aquellos capaces de pensar, aquellos que no tenían dinero, no podías culparles demasiado por no sentirse muy bien, y cuando sus métodos llegaban a ser tan crueles como los de los que ejercen el control, no podías tomar partido y decir, bueno, esto está bien y esto está mal y quizás no deberían haber hecho eso. Pero el problema ha sido siempre el remedio y el paciente no ha respondido durante siglos. Y él (o ella, perdonadme, chicas) no lo hará. Lo único que la mayoría de la gente pide son tres comidas decentes y un poco de sexo, y en la mayor parte del mundo, persona a persona, esto les es denegado, estos deseos básicos. Yo procedía de la clase más baja, sin educación, y estaba sentado en un tren con una bella mujer, aproximándome a París, a punto de cumplir sesenta años, afligido y mareado, quejándome de mi destino. Qué pequeño sapo, en qué renacuajo me había convertido... Bueno, mierda, ya sabes, quería huevo en mi cerveza...

–Dame un poco de tu vino, nena...

–Hank, has estado bebiendo muy deprisa. Te vas a poner enfermo...

–Lo sé. Pero sólo un traguito pequeñito, nena, relleno para el alma... Soy un hombre débil. Sólo un sorbo, mi querida niña...

–Está bien...

–Gracias...

–Tómatelo con calma, ésta es la última botella...

El tren rodaba y fuera vimos pequeños pueblos, e igual que en Alemania parecían extraños y bonitos, como sacados de cuentos de hadas, las calles pequeñas y empedradas, los tejados altos, pero allí también había angustia, codicia, asesinatos, locura, traición, inutilidad, miedo, torpeza, dioses falsos, violaciones, alcoholismo, drogas, perros, gatos, niños, televisión, periódicos, retretes embozados, canarios ciegos, soledad... La creación parecía ser una escapatoria, una vía para gritar, pero había tantos que creaban mal: retretes atascados y creación atascada. Muy de vez en cuando llegaba uno como Céline y podíamos leerle y reírnos, porque él sabía que no había ninguna posibilidad y lo decía abiertamente. Dios santo, yo sólo quería irme de Europa y volver a aquella gorda máquina de escribir; estaba allí sentada esperándome y simplemente mecanografiaba toda clase de líneas sobre las que yo no tenía control, ella era libre y no es que fuera sagrada, pero seguro que me daba buena suerte.

–No te preocupes tanto –me dijo Linda Lee–, intenta dormir.

Y aún tenía más suerte: una buena mujer. Me había costado 56 años encontrar a Linda y la espera había valido la pena. Un hombre tenía que pasar por muchas mujeres para encontrar a la suya, y si tenía suerte ella estaría ahí. Para un hombre, quedarse con la primera o la segunda mujer de su vida demostraba ignorancia; aún no tenía ni idea de lo que es una mujer. Un hombre tenía que seguir su rumbo y esto no significaba sólo acostarse con mujeres, follárselas una o dos veces; significaba *vivir* con mujeres durante meses y años. No culpo a los hombres que tienen miedo de hacer esto: supone exponer el alma para que te la arrebaten. Desde luego, algunos hombres simplemente se establecen con mujeres, se rinden, dicen: ya está, es lo mejor que puedo hacer. Hay muchos de ésos, de hecho la mayoría de la gente vive bajo bandera de tregua: se dan cuenta de que no funciona del todo, pero no importa, vamos a hacer que funcione, no sirve de nada pasar por todo esto otra vez, ¿qué dan por la tele esta noche? Nada. Bueno, de todos modos vamos a verlo; es mejor que mirarnos el uno al otro, es mejor que pensar en *esto.* La tele mantiene unidas a más parejas con problemas que los niños o la Iglesia.

Pensar en todos los millones de personas que están viviendo juntas a disgusto, y odian sus trabajos y tienen miedo de perder sus trabajos, no me extraña que sus caras parezcan lo que parecen. Es casi imposible mirar la fisonomía corriente sin que al final tengas que apartar la vista y mirar otra cosa, cualquier otra cosa, una naranja, una roca, una botella de aguarrás o el culo de un perro. Ni siquiera hay caras decentes en las cárceles o en los manicomios, y el médico que se inclina sobre ti cuando te estás muriendo luce la máscara de un idiota. A mí me disgusta mi propia cara, odio los espejos; nos equivocamos de camino en alguna parte, algún día hace mucho tiempo, y no podemos encontrar el camino de vuelta. Qué mierda, eh, colega, que nuestra propia mierda tenga mejor aspecto que nosotros...

No vais a creéroslo, pero al final llegó París, bueno, por lo menos la estación de tren de París. Empujé la palanca de la puerta y la escalerilla salió disparada, y tiré el equipaje abajo. Ayudé a bajar a Linda.

Miramos alrededor.

–¡Oh, Hank, aquí no hay nadie! ¿Qué vamos a hacer?

–Saldremos de aquí, cogeremos un taxi e iremos a un hotel y desde allí lo solucionaremos.

–Necesitamos un carrito para todo este equipaje.

–Iré a buscar uno.

Éste es otro error que la gente comete cuando viaja: se desorganizan y mutilan a sí mismos con equipaje inútil y cámaras inútiles. Lo único que se necesita es una máquina de escribir portátil y una pequeña bolsa con medias y ropa interior, un sacacorchos y una navaja.

Vi un carrito para el equipaje en la otra punta de la rampa y fui a por él. Ya casi lo tenía cuando oí gritar a Linda:

–¡BARBET!

Venía desde la otra punta con un carrito para el equipaje. Linda corrió hacia él, le saltó encima y le rodeó las caderas con sus piernas y le besó. Tuve ganas de hacer lo mismo, pero un hombre con dignidad y diez mil resacas a cuestas se mueve más lentamente.

–Barbet, me alegro de verte, es cojonudo volver a verte...

–Tengo vino blanco bueno y fresco y el pescado nos espera, ¡el pescado más *maravilloso* del mundo! Se come a otros peces y es el animal más maravilloso, ¡me encanta! Y en América ni siquiera os coméis este maravilloso pez, no se lo comen. ¡Se llama lucio! ¡Unas mandíbulas! ¡Una cabeza! Es fiero y grande y delicioso, y lo cocino *yo mismo*, tengo una forma especial de cocinarlo, estará tan *tierno*, ¡y tomaremos vino antes y durante y después!

Bajamos por la rampa y nos apretamos dentro del coche, el equipaje y nosotros, y él conducía como si montara un semental salvaje, riéndose, siempre se escapaba por los pelos, iba en dirección contraria por calles de dirección única, riéndose, le gustaba jugar con la muerte, no creo que fuese un suicida, era sólo algo interesante que hacer. A Linda le encantaba y yo lo soportaba. Bueno, yo había acabado mi tercera novela, y tres buenas novelas es todo lo que un hombre puede aspirar a hacer. Desde luego, estaba pensando en la cuarta, sobre mi infancia, pero las novelas sobre la infancia son casi imposibles, son muy deliberadas y aburridas, nunca he leído una buena. No saben cómo hacerlo. Y a mí me daba miedo. Nunca se creerían a mis padres. Asesinos, sádicos, buenos ciudadanos..., bueno, mierda, ahí estábamos, en la casa de Barbet, un ascensor pequeñito nos llevaba para arriba, a la cumbre, equipaje y gente apretados en una jaula de alambre minúscula, subíamos...

Bulle, su novia, estaba allí, más tarde me enteré de que era actriz de cine; Barbet me pasó los recortes:

–Devuélvemelos y que nunca se entere de que te los enseñé. Se enfadaría mucho.

Bulle era un poco sofisticada, pero era fácil llevarse bien con ella, rubia y despreocupada. Se supone que es difícil llevarse bien con la gente de talento en las situaciones de la vida corriente: yo lo había leído y me lo habían dicho y lo había visto en las películas. Pero me di cuenta de que no era así. Me di cuenta de que era con la gente de más talento con quien más fácilmente podías estar; deben de guardarse los malos ratos para los momentos de soledad.

El vino llegó y Barbet lo descorchó, llenó los vasos y lo probamos: excelente. Entonces Barbet se fue a la cocina y salió con el pescado:

–¡Miradlo! ¡Mirad esos dientes! ¡Qué gran animal!

Colgaba de sus manos, muerto antes que nosotros y ante nosotros, aquel largo y delgado ex asesino, y hasta muerto parecía bonito, no había ningún error en él, no le sobraba tejido adiposo, nada en él mentía, era perfecto: una embestida de vida que desgarraba y descuartizaba y echaba un vistazo alrededor y nadaba, sin moral, sin biblia, sin amigos.

–Ahora lo prepararé –dijo Barbet.

Desapareció con el pescado y enseguida volvió con el hornillo eléctrico para hacer el arroz. El problema con el hornillo era que su enchufe no estaba preparado para el enchufe de la pared, así que mirad esto: Barbet improvisó un montaje de cables, hizo contacto, hubo una explosión de poca importancia, se rió (más jodido peligro, ya sabéis) y el arroz empezó a cocerse. Barbet abrió otra botella de vino y nos volvió a llenar los vasos. Después volvió a la cocina para estar con su lucio. Había un cuadro de un lucio en la pared.

–A mí me gusta más el cuadro de al lado –dijo Bulle.

Era un cuadro de los hermanos Marx. A mí me gustaba más el lucio.

Y cuando llegó estaba realmente magnífico y nos lo comimos todo, después hubo más vino. Bueno, todo el mundo tiene que vivir tiempos duros, pero a veces hay momentos. Estaba cansado de Europa, pero aquella noche París me sentaba bien. Nos bebimos muchas botellas de vino, y por la mañana me desperté al lado de Linda y me levanté y paseé por el piso, y Barbet y Bulle se habían ido, a sus negocios, supongo. Miré al otro lado de la calle y allí, en el edificio de enfrente, había docenas de habitaciones con oficinas y mesas de despachos y teléfonos, y había gente dando vueltas; parecía muy digno y oficial, y me alegré de no formar parte del funcionamiento de aquel edificio. Entré en el cuarto de baño y tuve un maravilloso movimiento de intestinos: los alcohólicos rara vez tienen estreñimiento. Me lavé, me cepillé los dientes y volví a la cama. Linda se despertó.

–Hank, ¿estás bien?

–Sí, creo que sí. ¿Y tú?

–Oh, yo estoy bien.

–Vamos a tomar algo –dije.

–Está bien –dijo ella, y lo hicimos...

24

... Aquel día, más tarde, Barbet nos llevó al Museo de Arte Moderno. La gente iba a través de tubos de planta a planta, parecían hormigas pequeñitas. Me alegro de que Barbet no sugiriera entrar, siempre me sentía emocionalmente estrangulado en los museos de arte, prefería las películas malas, me sentía mucho menos desafiado, nunca me gustó conformarme con la llamada grandeza, que ni sentía ni me parecía grande. Simplemente no había tantos artistas buenos, pero tenían que llenar las paredes y las salas con algo; tenía la misma sensación en una biblioteca, todos aquellos libros desperdiciados, colocados allí en las estanterías y expresando muy poco.

Pero fuera del museo las cosas no estaban tan mal: había tragadores de fuego, tragaespadas, encantadores de serpientes, fakires en camas de clavos, cantantes, toda clase de monstruos locos y repugnantes, duros, patéticos, hambrientos, automutilados. Me sentía como si hubiera vuelto otra vez con los trabajadores de la fábrica, haciendo horas extraordinarias. Un hombre estaba escribiendo un mensaje en el cemento con su propia sangre; otro estranguló a un loro, le arrancó la cabeza de un bocado, la masticó y se la tragó; otro se tiraba pedos continuamente, siguiendo la melodía de canciones que él mismo se había inventado; otro le estaba rompiendo el brazo lentamente a su compañero, mientras los huesos astillados atravesaban la carne... Había un poco de todo por todas partes y la gente dejaba caer algunas monedas en los platos y tazas expectantes. La gente cantaba canciones desanimadas con voces rotas y cansadas. Empezaba a oscurecer. Había sido otro día duro y normal para todos ellos...

Volvimos al coche y era una hora punta y Barbet nos hizo girar por la eterna pista de carreras, girar y girar, el humo de la gasolina aumentaba, todo París lo inhalaba y tenía un gran dolor de cabeza, y pisaban el pedal del acelerador con más fuerza para poder escaparse, y nosotros nos bajamos de un salto y seguimos a Barbet a aquel lugar donde había vivido Balzac, *allí* tenía aquella habitación y había aquel parque dentro de los edificios, y había fuentes y nada más excepto mujeres y niños jugando entre ellos o con globos, y había pequeñas tiendas y muchas de ellas vendían medallas, medallas bastante bonitas, podías comprar cualquier honor o acto de valor que quisieras, y nos largamos de allí y fuimos a tomarnos una cerveza, a petición mía, y Barbet se puso a telefonear por algún asunto mientras un francés jugaba a la máquina del millón y otros siete franceses miraban, todos agrupados contra él. Entonces mi cabeza cedió y me quedé en blanco durante tres horas para despertarme cuando íbamos en coche por la Plaza Pigalle, y allí estaban todas aquellas putas francesas, tenían mejor pinta que las actrices de las películas americanas, la mayoría de ellas eran altas y vestían con estilo, y en sus caras no había la dureza que veías en las caras de las putas americanas, sentían que su profesión era realmente honorable, que daban alegría y sentido a las cosas, y parecía como si lo hicieran. Un par de ellas conocían a Barbet y le llamaron por su nombre cuando pasamos. Entonces comprendí París un poco mejor.

Aquella noche comimos en uno de aquellos sitios situados a gran altura enfrente del bulevar de los cines. Debajo nuestro los pequeños automóviles hacían carreras, y cuanto más avanzaba la noche, más había y más rápido corrían. París comía y bebía durante toda la noche; a diferencia de los americanos, ellos nunca pensaban en el día siguiente. O eso me parecía a mí. Y, como de costumbre, el camarero francés era amable y eficiente. Yo aún estaba buscando al famoso camarero francés presuntuoso. Supongo que tendría que hacer otro viaje. Recuerdo poco de la noche, bebimos y comimos y bebimos y bebimos. Parecía como si todo el mundo viviera bien, como si la existencia sólo fuera un chiste...

25

Barbet nos metió en el avión para América. Estábamos gravemente resacosos, pero nos llevó hasta allí tras hacer varias gestiones. Nos despedimos, y después nos estábamos *aproximando* de verdad a Los Ángeles... Linda estaba triste:

–Me pareció tan corto... Deberíamos habernos quedado más tiempo.

–Jesús –dije–, piensa en ello: un hipódromo americano, nuestro propio idioma...

–Visitamos muy pocos castillos y apenas vimos París.

–Bueno, di una buena lectura en Hamburgo y tuvimos suerte con la prensa francesa. Las ventas de libros deberían aumentar.

–Hablas como un hombre de negocios.

–Estoy contaminado, sin alma, se ha acabado para mí.

–Viste a tu tío.

–Un tío duro.

–Me pregunto si el gato estará bien.

–Estará bien, Linda. Yo me pregunto si el coche arrancará.

Nos tomamos la primera copa, un poco de tinto. El avión parecía lleno de americanos; se movían como si estuvieran en un escenario, así es como distingues a un americano. Y tenían las caras más gordas, eran más feos. Había vuelto con los de mi clase.

–Me gustaría saber si nos habrán robado la casa –me pregunté.

El vuelo de vuelta no fue particularmente impresionante. Me han pedido que escriba un libro sobre el viaje y he dicho que «sí», y para un hombre al que le disgusta viajar, ésa es una tarea infernal. Recordaba cuando Norman Mailer escribió sobre la llegada del hombre a la luna, para la revista *Life*, creo que era, y recordaba cuánto lo había sentido por él, y entonces pensé en el dinero que le habían dado por hacerlo, y pensé, bueno, sencillamente está consiguiendo pagar el beicon y el alquiler pegándole un puñetazo al viejo reloj del tiempo. Se rumoreaba que le habían dado un millón de dólares por escribir aquello. Yo era más afortunado: estaba escribiendo sin un adelanto y sin el compromiso de que me lo publicaran. Podía caer de lleno sobre mi culo y nadie saldría perjudicado. Conmigo había sido siempre así: aún conservaba un izquierdazo seco, y golpeaba directo al objetivo...

Barbet nos aconsejó no beber demasiado, las aduanas americanas eran las peores; ya era bastante malo y apenas estábamos sobrios, y me quedé aplastado entre la multitud mientras esperaba ver la maleta correcta deslizarse a mi lado. La gente gruñía y empujaba como cerdos, imbéciles. Un hombre gordo con largas secciones de piel colgándole de la mandíbula apoyó su cuerpo contra el mío, descansando en medio de la aglomeración. Cogí mi puño derecho con el izquierdo, y entonces lancé el codo derecho contra su barriga. Él jadeó, se volvió gris, se tiró un pedo y cayó al final de la multitud. Vi una maleta, vi otra. Linda se quedó detrás, mareada y enferma por la lucha de cuerpos. Entonces conseguí todo el equipaje y empujé hacia fuera. Habíamos pasado por la cola de los pasaportes, ahora todo lo que necesitábamos era pasar el control de equipaje y seríamos libres. Nos tocó un tío simpático. Sólo abrió la bolsa de vuelo de Linda.

–¿A qué se dedica? –me preguntó.

–Soy escritor.

–Oh. ¿Qué escribe?

–Es difícil de explicar. Cada vez es distinto.

–Está bien –dijo–, ya está.

Cerró la cremallera de la bolsa. Recogimos el equipaje de la cinta transportadora y dos mozos negros se apresuraron a cogerlo todo. Iban a despacharlo a otro lugar y entonces habría otra espera, más mareo de equipajes y más empujones.

–¡No! –dije–, ¡queremos llevar el equipaje!

Hicieron ver que no me oían, agarraban el equipaje.

–¡HE DICHO QUE «NO»! ¡NO! ¡QUEREMOS LLEVAR EL EQUIPAJE! ¿NO LO ENTIENDEN? –grité.

–Oh, entonces debe darnos los recibos.

–Por supuesto, aquí están...

Salimos de allí y entramos en la sección normal del aeropuerto. Entonces vimos que teníamos que coger las escaleras mecánicas para bajar al primer piso. Linda caminaba delante de mí. Dejé el equipaje que llevaba en el suelo, encendí un cigarrillo y me lo puse en la boca, después recogí el equipaje y otra vez empecé a andar hacia la escalera mecánica.

Entonces oí la voz de una mujer, la voz de una mujer joven, que decía:

–HEY, ¿SABES QUIÉN ES AQUÉL?

–¿Qué? ¿Quién?

–Aquel tío viejo que carga con las maletas... es un genio..., escribe relatos y poemas, novelas...

Estaba hablando de mí. Me conocía. Cuando llegué a

la escalera, decidí agradecerle el comentario. Puse las cosas en el suelo, me giré y la saludé... Y, mierda, una de las maletas, la más pesada, la Samsonite, se cayó y se fue escaleras abajo, era como un animal salvaje con cerebro propio, golpeaba y giraba y retumbaba y rebotaba como una cosa loca, y Linda, que estaba abajo, a mitad de las escaleras, la vio venir y se echó a un lado. Después gritó:

–¡CUIDADO! ¡CUIDADO!

La maleta de metal iba disparada como una loca hacia dos mujeres mayores que estaban cerca del final de la escalera mecánica. Una de ellas se echó a un lado y la otra también lo hizo, pero era un poco más lenta; una parte de la maleta le dio en la parte inferior de la pierna, no de lleno, pero recibió un buen golpe.

Bajé las escaleras con la maleta que me quedaba, apestaba a vino, tinto y blanco. Las dos mujeres mayores se habían quedado allí con un guardia de seguridad y Linda.

–Lo siento mucho –le dije a la mujer mayor que había recibido el golpe–, se me escapó. ¿Está usted bien?

Un pleito, pensé, Dios mío, un pleito y tarifas de abogados, condenado de por vida después de una vida de condena. Sólo una minúscula pizca de luz empezaba a asomar y ahora esto...

–Sí –dijo la señora mayor, tocándose la parte de atrás de la pierna–, creo que estoy bien.

–Pero, Honora –dijo la otra señora mayor–, piénsatelo bien, podrías estar herida, debes tener cuidado con todo este asunto.

La vieja bruja estaba pensando en un pleito, quería repartirse la indemnización con su amiga; sus ojos centelleaban de avaricia.

–Estamos muy cansados –dijo Linda–, venimos de un largo vuelo transatlántico. Simplemente perdió el control de la maleta.

–Creo que estoy bien –dijo Honora.

–¿Por qué no pasea un poco? –pregunté–. Como si se probara a sí misma.

¡Dios mío!, pensé, he dicho lo que no debía.

–Estoy bien –dijo Honora.

–Honora –dijo la otra vieja bruja–, deberías pensártelo bien...

El guardia de seguridad se quedó allí, sin decir nada.

–Bueno, lo siento, señoras, y buenas noches...

Cogí el equipaje y empecé a alejarme. Linda cogió el suyo y me siguió.

–¿Vienen detrás de nosotros? –le pregunté a Linda.

–Todavía están ahí paradas con el guardia de seguridad.

–Aún no hemos salido de esto.

Estábamos en la cinta transportadora.

–¿Todavía están ahí?

–Sí –dijo Linda.

–Quizás no puede andar. ¡Quizás el guardia toque el silbato!

–¡Ya lo sé!

–¿Viste a la otra vieja bruja? ¡Estaba pensando en un pleito!

–¡LO SÉ!

–¡La vieja bruja, ella no estaba herida! ¡Quizás un morado! ¡Pero pueden llevar todo el asunto hasta el infierno e ir a los tribunales! ¡Algún abogado baboso! ¡Ellos saben cómo joder a todo el mundo! ¡Los abogados son peores que los médicos! ¡Lo quitan todo y no dan nada!

–Lo sé.

Llegamos al final de la escalera mecánica y entramos en el vestíbulo. Anduvimos rápidamente a través de las puertas correderas y allí apareció una magnífica fila de taxis amarillos. Nos subimos en el primero. Cuando el taxista hubo puesto el equipaje en el maletero, le dije:

–Hollywood, buen hombre.

Y él entendió exactamente lo que le había dicho, no había barrera idiomática, y preguntó:

–¿A qué parte de Hollywood?

Y respondí:

–Al este de Hollywood, entre Hollywood Boulevard y Sunset, en la calle Western.

Después le pregunté cómo se sentía conduciendo un taxi. Resulta que una vez yo había querido ser taxista, pero había omitido poner en la solicitud que tenía antecedentes, así que después de descubrirlo me habían echado. Eso era todo. Él empezó a hablar de lo duro que era arrastrar el culo por un precio, y tenía razón, era duro arrastrar el culo por un precio, era duro estar en un pelotón de ejecución en el estado de Utah y cobrar sólo 125 dólares por apretar el gatillo y no estar seguro nunca de si había sido tu bala o la de los otros cuatro o cinco hombres la que lo había hecho, era duro lavar platos, era duro andar por la calle, era duro comer y dormir, y a veces hasta follar era duro.

Habíamos vuelto a América y el taxímetro corría y lo único que yo tenía que hacer era escribirlo una vez más.

Epílogo

Europa

yo estaba en el taller de la Volkswagen
de la avenida La Brea,
cuando entró un hombre joven
y me llamó por mi nombre.
era el director de una
revista de difusión nacional
que publicaba historias
raras.
algunas eran
mías.

llevaba gafas grandes
y oscuras.
mi mujer estaba charlando
con 2 chicas sobre lo malo que era
el café en McDonald's.
salimos fuera a ver
su coche,
un modelo hecho de encargo.

«¿por qué no nos mandas
más relatos?», me preguntó.

yo le miré: «así que vas de coca
hasta arriba, Bobby. yo estuve
2 meses en eso, pero no podía
controlarlo, por las mañanas
me daba miedo entrar en la cocina

porque había
un cuchillo de carnicero.»

tenía el clásico cochazo:
de color rojo, descapotable,
con freno de mano
lateral
(se accionaba con
la mano izquierda).

«ando jodido», le dije,
«ahora sólo escribo poemas,
cien al mes. es probable
que cualquier día me tire
desde el piso 27 por el hueco
de un ascensor.»

«para nosotros eres el mejor
escritor en prosa que hay», me dijo.

y yo le dije «lo de los caballos
va mal. en mayo
me voy a Europa.
tengo que
alejarme de todo esto.»

«¿y te vas solo?», me preguntó.

«me llevo a mi chica», le
dije, «así no me mataré
bebiendo.»

«ah», dijo, «¿ha conseguido
que pares?»

«que pare, no», contesté sonriendo,
«pero me reduce la velocidad.»

volvimos a la entrada
y pasamos junto a mi
Volkswagen del 67, todo desmontado.

la primera carrera era a la 1 y media
del mediodía y ya era
la 1 y 20.
los mecánicos seguían
ganduleando,
tomando café,
riendo,
hablando en griego y
en español...
las piezas de mi motor estaban
desperdigadas por acá
y por
allá.

«tienes un coche muy bonito»,
le dije,
«ya te veo bajando por
Sunset Boulevard, con una
bioquímica de 24 años
con piernas de jirafa y las
tetas más grandes
de toda la ciudad.»

«eso ya lo he hecho», dijo,
«sólo que era una de esas que leen las manos
y tenía verrugas en el culo.»

entramos de nuevo en
la oficina.

cuando no hay nada
que hacer
a veces uno se pone a hablar
con alguien.

pensé que aún podría llegar
a la última carrera.

ahora, todos juntos

Alemania nos espera con
escalerillas de avión y carreteras y habitaciones y
restaurantes.
Alemania nos espera a Linda Lee
y a mí.
mi tío, con sus 90 años,
nos espera.
soy un escritor conocido en
Alemania y en Francia.
como a otros escritores americanos,
fue Europa la que me descubrió primero.

voy a dar un recital
en Hamburgo.
Alemania es donde
nací.
Hollywood es donde
vivo.

me voy a Alemania
para
librarme de los caballos
y de esta
habitación.

Sherwood Anderson viajará
con nosotros.

recuerdo que sus libros eran
para mí el alimento
cuando no tenía alimentos.

estaremos todos juntos: yo,
Sherwood, Ernie, Ezra y
Linda Lee.

daremos la lata al piloto
incordiaremos a las azafatas.

con una copa en la mano
cruzaremos el ancho Atlántico
un editor alemán para pagar
los gastos
un editor francés para pagar
los gastos
en París
en septiembre.

también podremos pasear:
cámara de fotos y cuaderno en mano
para tomar nota de las
juergas.

¡hemos salido del arroyo!
¡miradnos!
es una broma.

sonrío
porque cuando alguien ha sido pobre
toda su vida
nunca
puede olvidarlo.

al menos en América
se ha mantenido todo de forma razonable y
discreta:
puedo volver y
esconderme.

ya he leído todos los malditos libros
y ahora soy un escritor
con una copa en la mano
cruzando el ancho Atlántico
con Sherwood, Ernie, Ezra y
Linda Lee.

navegando por el Rin

el Rin está asqueroso
no hay peces en el Rin
el camarero nos trae vino blanco
y entonces lo oímos:
un joven americano
que está bebiendo cerveza
y contando cómo
se tiró a 3 chicas alemanas que andaban perdidas
y lo cuenta en voz alta,
riéndose,
ese hijo de puta es americano,
habla en inglés,
y las 3 chicas alemanas que están con él
no entienden lo que dice.
miramos por la ventanilla
buscando castillos
pero no vemos más que fábricas
y el hijo de puta ese es americano
y se ríe con una risa
muy falsa.
por suerte no vamos a estar 9 días
de crucero con él...
sólo 2 horas,
hasta Maguncia.
seguimos bebiendo el vino y esperando
a que
pasen.

Primer día en Mannheim

En casa de Carl Weisser en Mannheim

clic, clic ...

para ir a Andernach del Rin
donde nací
tenía que tomar un ferry
que cruza el río.
yo estaba con mi dama.
y mientras estábamos allí esperando
había dos fotógrafos haciendo fotos.
a uno lo había mandado
un periódico alemán,
el otro se había venido conmigo
después de convencerme
para escribir un libro sobre el viaje.

los dos fotógrafos eran tipos
simpáticos.
mientras mi dama y yo esperábamos
bajo una llovizna suave,
ellos se situaban en
diversos puntos del muelle,
se ponían de rodillas, se levantaban,
iban hacia adelante, iban
hacia atrás
clic clic
          clic
               clic
dos tipos alemanes simpáticos
pero yo le dije a mi dama: «mira,
esto es muy divertido... los dos

están pendientes el uno
del otro...»

y entonces, el fotógrafo que había
venido conmigo
se acercó deprisa y me
dijo: «¡esto no puede ser!
está haciendo las mismas fotos
que yo.»
estaba muy nervioso; yo le había
visto en momentos más complicados y
deprimentes y siempre se lo había
tomado con mucha calma.

«¡venga ya, Michael!», le dije,
«sólo son unas fotos sin importancia y
estoy seguro de que todas serán diferentes
y tendrán un toque personal...»

Michael se dio la vuelta,
se alejó a paso rápido para
tomar unas fotos desde cierta distancia
mientras el chico alemán
se acercaba a paso rápido,
doblaba una rodilla y
tomaba unos primeros planos...

Michael, para descansar,
se recostó contra
un barril azul
y el barril se venció,
cayó de lado
y empezó a rodar
a toda velocidad

(el muelle estaba inclinado)
hacia el joven
fotógrafo alemán;
el barril no estaba vacío,
los tablones crujían
bajo su peso.
cuando bajaba rodando
le grité al joven
alemán : «¡TÚ, TEN CUIDADO
COÑO!»

El joven fotó-
grafo alemán dio un salto
y el barril se estrelló contra un pilote,
rebotó, cayó
al Rin,
y se alejó flotando,
bamboleándose medio
sumergido...

el joven alemán dobló una rodilla
y sacó varias
fotos más.

dos o tres días después,
sentado en un café alemán,
tras las curdas
del día y las de la noche
hasta la mañana,
levanté la mirada de mi copa
y le dije a Michael
«oye, fue muy divertido,
¿sabes?»
«¿el qué?», me preguntó.

«cómo trataste de matar
a ese chico alemán tan simpático,
el del periódico, con el
barril de petróleo azul.»

él sonrió, se echó hacia adelante,
me miró y me preguntó
con tono amable «Hank, ¿de qué
estás *hablando*?».

«de celos profesionales,
pueden llevar a eso...»

«supongo», me dijo mi dama,
«que tú no tendrás
celos
profesionales.»

«no, yo no...»

«bueno, Hank», dijo Michael,
«eso no me parece
posible.»

esos dos siempre
se confabulaban contra mí.
por supuesto, igual que lo del
barril azul de petróleo,
puede que *eso* fuera sólo
cosa de mi imaginación.

la gente siempre me ha dicho
que jamás debo
confiar en mí, así que

hice señas a la camarera
y le pedí
tres más
y me convertí
en un ser conocido,
real y
humano de nuevo.

Mannheim

Balcón del Park Hotel en Hamburgo

las putas de Hamburgo

las sucias zorras de Akron están por todas partes.
las veo por todas partes
en el cine
en otras ciudades del mundo
pero a las putas de Hamburgo
sólo las he visto una vez.

están allí como seres eternos,
esperando.

por supuesto
que no son eternas.

pero estaban allí bajo la lluvia
las putas de Hamburgo estaban bajo
la lluvia
esperando
para alimentarse con esa necesidad de los hombres
que nunca está totalmente satisfecha,
esperando
a hombres que andan buscando
algo que se ha perdido:
poseer a una mujer sin que signifique un sufrimiento
ni para él
ni para ella.

las putas de Hamburgo
apoyadas contra los parachoques

de los coches aparcados
bajo la lluvia
me parecían una sinfonía...
desde cierta distancia.
desde más cerca, sabía que me encontraría
con problemas y con terribles fracasos,
si no con dolor.

pero allí estaban
a pesar del mal tiempo
filas y filas
esperando.

las sucias zorras de Akron están
por todas partes.

pero las putas de Hamburgo
me parecieron hermosas
aquel día.

La lectura en Hamburgo (1)

La lectura en Hamburgo (2)

Después de la lectura en Hamburgo (1)

Después de la lectura en Hamburgo (2)

espectáculo adicional, Alemania, 1916

los spads aparecieron sobre la colina
918
y los fokkers se encontraron con ellos
a
2.000 pies de altitud.

había nubes blancas e
indiferentes y muchos soldados
dejaron de disparar
para mirar.

primero cayó un fokker
de costado,
bandas de humo rojo
envolvían su lado
izquierdo

saltó un hombre
abrió el paracaídas demasiado pronto
se le enredó una pierna con algo
del ala...
un cable...
y cayeron juntos
así.

y, luego, de pronto un spad
cayó de morro
a toda velocidad

y se clavó en la tierra
intentando penetrarla
sin conseguirlo.

parecía que todo
funcionaba mal.

y después un fokker y un spad
que iban ascendiendo
chocaron casi de morro
–un error–
como 2 amantes que intentan besarse
y fallan

quedaron suspendidos en el
aire
y después se separaron
en un *adagio*,
manos y corazones separados
sin música alguna

pedazos del spad cayeron al sur, lejos,
el fokker se estrelló después,
del otro lado de sus trincheras
pero el piloto estaba
demasiado herido
para que lo tomasen como prisionero,
con el cuello roto
y la cabeza
como una gran manzana
colgando machacada
de la cabina.

y eso fue todo:
los spads restantes viraron
y regresaron
hacia el oeste y
los fokkers restantes viraron
y regresaron
hacia el este
sin más

como si una señal invisible
les hubiera hecho parar y
marcharse

y los soldados de los dos bandos
que estaban mirando
se dijeron para sus adentros:
¡al diablo!

y volvieron a empezar
a disparar otra vez

todos ellos
volvieron a empezar
a disparar otra vez.

Restaurante chino en Hamburgo

En casa de Carl Weissner en Mannheim

Andernach (1)

Andernach (2)

Puerto de Hamburgo

Buscando una tintorería en Andernach

Crucero por el Rin en los alrededores de Andernach (1)

Crucero por el Rin en los alrededores de Andernach (2)

Colonia

Catedral de Colonia (1)

Catedral de Colonia (2)

armas en Frankfurt

en el aeropuerto de Frankfurt los soldados vigilaban los
[vuelos
internacionales con metralletas.
los aviones de Israel estaban especialmente bien
vigilados.
la policía y los soldados alemanes patrullaban la terminal
con armas automáticas. ayer
2 terroristas fueron liberados de la prisión por
3 mujeres armadas.
mi amigo dijo: «¡qué mierda! si ya estarán en Amsterdam
o en cualquier otro sitio. aquí seguro que no siguen. pero
todo el mundo tiene miedo. es maravilloso.»

bueno, era cierto... en el aire se respiraba cierta tensión,
[cierta
energía.
era porque hay gentes que quieren una cosa y otros
que quieren otra. eso es algo que jamás cambia, siglo
tras siglo jamás ha cambiado.

yo me preguntaba si los 2 terroristas estarían follando con
las 3 mujeres que les habían liberado. eso sería
lo más adecuado. la política no tiene nada en contra del
[sexo,
eso es lo único bueno que tiene.

mi amigo y yo decidimos tomarnos una cerveza y un
sandwich. porque, si no se está de un lado o del otro,

no es que sea divertido pero es necesario
seguir comiendo, fumando, haciendo cosas. dejé
mi maleta en el suelo y encendí un cigarrillo. hacía
unos 22 grados.
una temperatura que no estaba nada mal.

el hotel alemán

el hotel alemán era muy extraño y muy caro y tenía
puertas dobles en las habitaciones, puertas muy gruesas, y
vistas al parque y al *wasser turm* y por las mañanas
siempre era demasiado tarde para desayunar y las camareras
estaban por todas partes cambiando sábanas y trayendo
toallas, pero jamás se veía a un solo huésped, sólo a las
camareras y al recepcionista. el recepcionista de día estaba
muy bien porque de día estábamos sobrios pero con el de
[la noche
teníamos problemas porque era un snob
y no era muy bueno a la hora de conseguir sacacorchos y
[hielo
y subirnos vasos de vino y se pasaba el tiempo llamando
[por teléfono
para decir que otros huéspedes se quejaban de que
[hacíamos ruido.
¿qué otros huéspedes?
yo siempre le contestaba que todo está en silencio,
que no pasa nada, que debe de haber un loco, así que
¿quiere hacer el favor de dejar de llamarnos por teléfono?
pero seguía llamando, casi se convirtió en
compañero nocturno nuestro.
pero el recepcionista de día era un hombre muy amable,
[siempre
tenía algún mensajito importante que significaba dinero o
que algún buen amigo venía a vernos, o las dos cosas.
en nuestro viaje por Europa estuvimos en ese hotel dos veces
y en las dos ocasiones comprobamos que el recepcionista
[de día

siempre hacía una leve inclinación de cabeza, era alto, iba
[bien vestido,
era agradable y siempre decía: «ha sido un placer
que se alojaran aquí. si regresan, esperamos verlos de
[nuevo.»
«gracias», contestábamos, «muchas gracias.»

es nuestro hotel favorito y si algún día me hago rico
lo compraré y echaré al recepcionista de noche y habrá
suficientes cubos de hielo y sacacorchos para todo el
[mundo.

estación de tren

los borrachos alemanes de la estación de Mannheim
estaban sentados en mesas redondas diminutas y bebían
[sus cervezas
y esperaban. tenían los rostros colorados y aspecto de
[perdedores pero
no eran como los borrachos americanos, los bebedores de
[cerveza
americanos. los de la estación de Mannheim estaban
callados. los alemanes han perdido dos guerras desde
1914; puede que se deba al *cómo* fueron vencidos.
pero su reserva, su control, su delicada
necesidad de no hacerse notar especialmente, me resulta
refrescante... ¡qué indiferencia tan tolerante consigo y con
[los demás!

mirar a los bebedores de cerveza en esta estación de
Mannheim es comprobar que algo en lo que crees
se hace público y está bien: esos hombres con su historia
y su vida demuestran que la vida puede ser terrible
a veces, y otras –posiblemente– justa, pero
no es nada que haya que contar a gritos:
la cerveza es buena y el tren llegará a su hora.

Mannheim, Alemania

las campanas de la iglesia sonaban todo el rato, casi todo
[el rato,
campanas auténticas con gente auténtica que las tocaba,
[nunca sonaban
a su hora, pero sonaban y sonaban y sonaban y el sonido
se te metía en los huesos y las campanas sonaban cuando
[estabas
comiendo o cuando estabas en el cuarto de baño o cuando
estabas follando o cuando te estabas lavando los dientes...
se convirtió en algo tan natural como subir o bajar en el
[ascensor
del hotel, y fuera en la calle las fuentes lanzaban al aire
chorros de agua de 20 metros, y había hombres paseando
[perros grandes
y hombres y mujeres que se sentaban a una mesa a beber
[algo.
habían perdido dos grandes guerras en 3 décadas y las
[campanas seguían sonando,
sonaban con humor, sonaban con alegría y yo pensé ¡qué
[diablos!
¿y por qué no?

poema estúpido

ahora levanto la mirada y estoy borracho en un cuarto lleno
de alemanes. ahora empiezan a llegar los franceses
y tengo que decir que
los franceses también son bebedores curtidos. los
alemanes beben de un modo automático y beben
más que los franceses pero los franceses se ponen
más exaltados: y empiezan a despotricar sobre
cualquier cosa: la traición, ese
hijo de puta y aquel otro hijo de puta y cosas así...
se parecen más a los bebedores americanos.

pero yo ya me bebí a todos los americanos
hace tiempo. y no he dejado ni una gota.
los alemanes y los franceses son como de otra
galaxia, hablan con frecuencia en su propio
idioma y eso me evita encontrarles
aburridos. pero también de ellos estoy cansándome.
el otro día me escapé de tres alemanes. los
franceses serán los siguientes.

a los americanos con sus paquetes de 6 Coors
y sus cigarrillos Marlboro ya no
los necesito más. me queda por ver a los españoles,
los japoneses, los italianos, los suecos...

lo único que necesito es que esta máquina de escribir
siga aporreando la cinta,
adelantando a los corredores que van en cabeza,

uno a uno,
superando a los pura sangre del premio Pulitzer
rompiendo la cinta de llegada
en todas las etapas, en la de Moscú, en la de la India...

Hollywood Este nunca fue el lugar adecuado
para un huracán blanco como Chinaski.

ÍNDICE

34.